A ARTE DE MANIPULAR A SORTE

A arte de manipular a sorte

1ª edição: Março 2020

Direitos reservados desta edição: CDG Edições e Publicações

O conteúdo desta obra é de total responsabilidade do autor
e não reflete necessariamente a opinião da editora.

Autor:
Francisco Sosa

Revisão:
3GB Consulting

Organização de conteúdo:
Maria Luiza Poleti

Preparação de texto:
Magno Paganelli

Diagramação:
Jéssica Wendy

Capa:
Gabriel Fonseca

DADOS INTERNACIONAIS DE CATALOGAÇÃO NA PUBLICAÇÃO (CIP)

Sosa, Francisco

    A arte de manipular a sorte / Francisco Sosa. -- Porto Alegre : CDG, 2020.

    144 p.

    ISBN: 978-65-5047-036-4

    1. Sucesso. 2. Vendas. I. Título II. Guimarães, Mayã.

20-1573   CDD - 158.1

Ficha catalográfica elaborada pela bibliotecária
Angélica Ilacqua - Bibliotecária - CRB-8/7057

Produção editorial e distribuição:

contato@citadeleditora.com.br
www.citadeleditora.com.br

FRANCISCO SOSA

A ARTE DE MANIPULAR A SORTE

CONSTRUA A SUA PRÓPRIA
HISTÓRIA E PROSPERE EM TODAS
AS ÁREAS DA SUA VIDA

SUMÁRIO

Prefácio 07

Introdução 11

Capítulo 1: Um negócio para todos 21

Capítulo 2: Entenda as quatro crenças 31

Capítulo 3: A importância de ter disciplina 49

Capítulo 4: Como começar da melhor maneira 59

Capítulo 5: A Era da Informação – como vencer nesta era? 59

Capítulo 6: Nunca perca a humildade 81

Capítulo 7: Assuma o controle financeiro da sua vida 89

Capítulo 8: O que significa sucesso? 103

Capítulo 9: Viajar o mundo – encontre o seu sonho 109

Capítulo 10: O poder do *networking* 113

Capítulo 11: Organize-se, estabeleça as suas metas 125

Capítulo 12: Construa um legado 133

PREFÁCIO

Durante toda a minha vida, destaquei como principal virtude para qualquer empreitada a atitude. Se você não tiver mais nada, tenha atitude, e em algum lugar chegará. Esse é o ingrediente básico para todo sucesso. Eu não conheço nenhuma pessoa de sucesso que não tenha. Se formos resumir, atitude nada mais é do que a posição ou o comportamento diante de qualquer situação. Nós sabemos que o resultado que as pessoas têm, o resultado que buscam, o sucesso, é determinado pela ação, que é determinada pelo sentimento e pelo pensamento. Dessa forma, o pensamento gera sentimento, que gera uma ação, que determinará o resultado. Mas antes de tudo isso, está a posição, a postura, logo, a atitude. Repare: as pessoas que mantêm uma atitude positiva, uma atitude certa, têm resultado. Mantenha a atitude certa e você ganhará sempre.

E isso vai ao encontro do ensinamento deste livro. Construa a sua própria sorte, o seu próprio caminho. Sem dúvida foram várias as virtudes que fizeram o Francisco alcançar tudo o que alcançou, mas, se eu pudesse dizer a principal, com certeza seria atitude. Totalmente ensinável, proativo, comprometido, trabalhador e leal.

Acredito que sorte existe, sim, não como algo místico, alheio a nossa vontade, quase como algo que cai do céu, mas, sim, como o encontro da oportunidade com a preparação. O que isso significa? Você deve estar preparado naquele momento oportuno para a porta que se abrirá em sua frente. Não adianta aparecer uma grande oportunidade, mas você não estar preparado. Por outro lado, estar preparado, mas não ter a atitude de se mexer, fazer algo e correr atrás, possivelmente só fará com que nenhuma porta se abra, ou pior, elas se abrirão, mas você nem sequer perceberá.

Então, acredito em sorte com esta definição: o encontro da oportunidade com a preparação. O melhor exemplo disso foi a maneira como conheci o Francisco. Alguns anos atrás, no ano de 2012, um avião em que eu estava teve uma pane elétrica, graças a Deus, ainda em solo. Por causa desse problema – aliás, um problemão, com gente brigando e xingando no aeroporto, uma verdadeira confusão –, a companhia aérea realocou todos os passageiros em outros voos próximos. Nesse voo em que fui realocado, aconteceu exatamente o que chamo de sorte e descreverei a seguir. Sentou ao meu lado uma moça, que, embora eu não conhecesse, foi muito simpática e gentil. Era Daniela Borba, esposa de Francisco. Começamos a conversar, e me surpreendi com a reação dela diante da situação que tínhamos acabado de passar; ela reagia positivamente em uma situação negativa, no meio de muitas outras pessoas que estavam reclamando que o voo tinha sido cancelado. Eu também sempre busquei o lado positivo em tudo na minha vida! Sei que não existe um mal que não traga um bem. E naquele momento, se não fosse aquele cancelamento, aquela pane, a Dani não teria sentado ao meu lado, eu não teria a conhecido! Foi então que aproveitei a sorte desse momento e tive a atitude de fazer perguntas inteligentes para ela, perguntar para onde ela estava indo, o que estava indo fazer, qual era a atividade profissional dela. E obviamente ela perguntava sobre mim também. Nesse momento, expliquei o plano de negócios da empresa que eu representava, e ela me disse: "Você precisa conhecer o Francisco, meu marido". Ou seja, eu estava preparado para mostrar o plano de negócios naquele momento oportuno. Eu estava com a mentalidade positiva e atitude correta, mesmo no meio de um desafio. Sorte é este encontro: a oportunidade com a preparação no mesmo momento.

Depois de alguns dias, eu e o Francisco nos falamos por telefone, e logo percebi se tratar de um grande visionário, um empreendedor, que já buscava algo a mais na vida. Tínhamos muito em comum: a vontade de mudar de vida, de evoluir, a vontade de crescer, a fome pelo sucesso, a incansável disposição para pagar o preço em busca dos nossos objetivos e sonhos, transpondo cada desafio que tivéssemos pelo caminho.

Ajudar pessoas foi sempre o principal objetivo do Francisco. Como pude acompanhar sua trajetória desde o início, ajudar pessoas a crescer, a se desenvolver, evoluir, ganhar dinheiro e mudar de vida é o que o faz querer crescer e se comprometer mais a cada dia com cada uma das pessoas que trabalham com ele. Além de conhecer sua impressionante história de vida, certamente muitas pessoas poderão absorver neste livro um aprendizado vital, não só para empreender, mas também para desenvolver-se como uma pessoa melhor, em qualquer área da vida. Mas nunca se esqueça: atitude acima de tudo, e não espere a sorte cair no seu colo. Isso é conto de fadas! Sorte é o encontro entre o seu preparo e a oportunidade que se abre a partir dos seus próprios movimentos. Boa leitura!

Marcus Clemente

Empreendedor e especialista
em marketing de relacionamento

INTRODUÇÃO

Em meu livro anterior, *Do Zero a 1 Milhão*, apresentei Francisco Sosa. No entanto, caso não tenha lido, devo sugerir:

Fica o meu convite para que você também faça essa leitura.

De qualquer maneira, vou me apresentar e mostrar quem sou, pois, como já vi em diversos treinamentos, o que há de mais importante na vida de um homem que quer crescer é, antes de tudo, saber contar a própria história.

Você está preparado para me conhecer e, em seguida, começar a contar a sua história?

O meu nome é Francisco Sosa e nasci em uma cidade chamada Uruguaiana, no interior do Rio Grande do Sul. Se você nunca ouviu falar de Uruguaiana, tenha em mente que ela é uma daquelas clássicas cidades de interior.

Eu sou o filho mais velho de uma família que enfrentou alguns desafios. Bem, para dizer a verdade, acredito que toda família tem um desafio a vencer. No caso da minha família, contar com meu

**TEM GENTE
COM MENOS
TALENTO
QUE VOCÊ
FAZENDO
GRANDES
COISAS
ACONTECEREM.**

pai como referência não era uma opção: ele nunca foi um bom exemplo. Mas, para a minha sorte, o que faltou de bom exemplo na figura do meu pai eu encontrei de sobra em minha mãe. A minha mãe é uma excelente referência de ser humano.

Diante de situações como essa, diferentes reações podem surgir. Muitos filhos partem para um mundo de drogas e criminalidade e acabam se entregando a uma vida que só traz malefícios. Felizmente, o caminho do crime não foi a minha escolha. Ao contrário, cresci com o sentimento de que precisava ser a referência positiva da família. De algum modo, queria compensar aquele exemplo negativo. No entanto, se essa parece ser a melhor decisão, ao mesmo tempo é também um fardo pesado demais, que atrapalhou bastante, principalmente, na minha adolescência. Sabe aquele tipo de pessoa que se cobra demais, e isso acaba por prejudicá-la? Pois foi isso o que aconteceu comigo.

Com o passar do tempo, já mais velho e sozinho, comecei a me dar conta de que eu – e somente eu – era dono da minha história e que era injusto demais considerar a mim o único responsável por tudo de desafiador que aconteceu com a minha família. Entender isso tirou o peso das minhas costas, e, talvez por isso, consegui mudar o rumo das coisas e passei a alcançar uma maior realização profissional e pessoal.

Posso dizer, então, que, a partir desse *insight*, a minha vida mudou. E com essa mudança, vi o início da minha carreira brotar e florescer. Naquela época eu cursava a faculdade de Direito – a

SE VOCÊ NÃO ESTÁ DISPOSTO A ARRISCAR, ESTEJA DISPOSTO A UMA VIDA COMUM.

qual, aliás, nunca terminei –, mas foi por meio daquele curso que procurei uma vaga como funcionário da maior empresa em que eu pude trabalhar. Se você imaginou que já entrei como advogado na empresa, está enganado. Lembra que nem me formei? Para muita gente eu *entrei pela porta dos fundos*, pois batalhei para conseguir uma vaga de digitador de textos.

O que muita gente menospreza soava para mim como uma excelente oportunidade, pois vi nela uma chance de entrar na empresa dos meus sonhos e, a partir disso, crescer. E foi exatamente o que aconteceu. Fui promovido algumas vezes nos anos em que trabalhei lá e, o melhor de tudo, pude conviver com pessoas de nível intelectual muito maior do que o meu naquela época, o que moldou muito a minha personalidade para se tornar como é hoje.

Em outra época da minha vida, mais adiante, tive a oportunidade de me tornar sócio de uma empresa de treinamento e consultoria no ramo do petróleo. Foi nessa empresa que definitivamente tive a minha primeira experiência de verdadeiro sucesso financeiro. Eu viajava o Brasil inteiro abrindo franquias e treinando os funcionários da companhia. E foi ali que encontrei o meu real objetivo de vida: *desenvolver pessoas*. Frequentemente, eu conhecia profissionais com histórias de vida com muito sofrimento, algo típico da profissão de frentista. Era nítido o brilho nos olhos após cada treinamento em que aquelas pessoas percebiam a possibilidade de fazer um bom trabalho, atingir suas metas e, assim,

ÀS VEZES, PEDIMOS
A DEUS QUE MUDE
A NOSSA SITUAÇÃO,
SEM SABER QUE
ELE NOS COLOCOU
NESSA SITUAÇÃO
PARA MUDARMOS
NÓS MESMOS.

ter um retorno financeiro extra, podendo realizar alguns sonhos pessoais e de suas famílias.

Após alguns anos de trabalho na empresa de consultoria e treinamento, percebi que, sim, o caminho para a liberdade financeira estava no empreendedorismo. Foi aí que conheci uma indústria que transformaria completamente o meu entendimento sobre o que é sucesso financeiro: a indústria de vendas diretas e *marketing* de relacionamento.

Até então, eu imaginava que trabalhar muito e ganhar muito era sinônimo de sucesso financeiro. Mas eu estava enganado, pois, ao conhecer o ramo de vendas diretas, entendi como era possível alguém ter dinheiro e tempo. Confesso que no começo essa indústria despertou alguns sentimentos não muito agradáveis em mim. Sim, eu era uma daquelas pessoas extremamente preconceituosas e desconfiadas sobre receitas fáceis para o sucesso, porém, veja onde estou hoje. Até mesmo as pessoas mais preconceituosas podem se tornar **Diamantes**. Eu sou o exemplo claro disso!

Minha esposa foi quem teve o primeiro contato com a indústria de vendas diretas, por meio de um contato frio realizado em um avião. Na época, minha esposa e eu trabalhávamos na mesma empresa, fazendo o mesmo trabalho de consultoria: cada um viajando para um canto do país para realizar treinamentos e aberturas de franquias. Nos víamos poucos dias durante o mês. Em um dos voos, ela se sentou ao lado de alguém que terminaria por mudar nossas vidas completamente – mesmo sem saber. Ele simplesmente puxou conversa com ela utilizando técnicas de contato frio e mostrou os produtos e o seu plano de negócios para ela. Bastante entusiasmada, ao sair do avião ela ligou para mim e tentou explicar como funcionava a empresa e os produtos. Eu estava completamente cético e **não dei muita atenção**, menosprezando aquela oportunidade.

Naquele mesmo dia, a minha esposa foi a um evento de negócios e, ao assistir à apresentação novamente, tentou mais uma vez explicar para mim que aquela poderia ser a nossa tão desejada liberdade financeira. Mais uma vez não dei atenção. Somente alguns dias depois, ao me hospedar em um hotel, e por sorte (isso se você acredita em coincidências), acabei conhecendo um dos produtos da empresa, uma bebida energética. Lembro-me de tirar uma foto do produto e enviar para a minha esposa com a pergunta: "Era disso que você estava falando?". Ao experimentar o produto, gostei e decidi pesquisar mais na internet sobre o assunto. Naquela noite, não dormi.

Em minha pesquisa, encontrei muitas informações sobre os produtos e sobre o negócio. Algumas informações eram muito boas, outras não, mas bastaram para eu perceber e ter o bom senso de reconhecer que nem todos os produtos agradam a todas as pessoas, por melhores que sejam. Lembro que pensei o seguinte: "Se alguém, em algum lugar do mundo, consegue fazer este negócio, é porque é possível. Se essa pessoa faz, eu também vou fazer".

Voltando para os dias de hoje, para o Francisco de hoje, foi trabalhando com a indústria de vendas diretas que me tornei milionário em dois anos de atividade. Antes dos 30 anos de idade, pude realizar a maioria dos meus sonhos. Inclusive escrevi meu primeiro livro, *Do Zero a 1 Milhão*. Naquele livro contei a minha trajetória na indústria até me tornar milionário. Esse livro impactou positivamente a vida de milhares de pessoas. As técnicas e os exemplos descritos ali mostraram que esse negócio realmente possibilita que pessoas comuns tenham resultados incomuns. E é justamente sobre resultados incomuns e pessoas comuns que inicio o meu segundo livro.

Você está preparado para mudar, de uma vez por todas, a sua vida?

Se ainda torce o nariz e tem preconceito para o mundo das vendas diretas e *marketing* de relacionamento, não se preocupe, eu já estive no seu lugar e hoje estou aqui para fazer você mudar de ideia em menos tempo.

CAPÍTULO 1

UM NEGÓCIO PARA TODOS

Este capítulo é sobre o que você leu no título: um negócio para todos. Muito mais do que somente acreditar nisso e, claro, querer fazer com que você também acredite que o assunto deste capítulo é a melhor oportunidade para fazer o seu dinheiro e a sua realização acontecerem, quero comprovar isso para você.

Naturalmente, o único modo de comprovar que a indústria de vendas diretas e *marketing* de relacionamento **é um negócio bom** para qualquer ser humano do planeta é contar um pouco da minha história de vida. Afinal, de onde vim e por que motivo vim parar aqui?

Muito antes de entrar nesse negócio, eu já acreditava na minha capacidade de me tornar um vencedor, ou melhor, eu tinha certeza de que tinha condições pessoais de mudar as coisas, de transformar a minha realidade. Qual era a minha única certeza? Eu

MOVIMENTAR-SE EM BUSCA DAQUILO QUE SE DESEJA ALCANÇAR COLOCA O UNIVERSO EM MOVIMENTO, E, ENTÃO, MUDAR AS COISAS TORNA-SE QUESTÃO DE TEMPO.

queria ter uma história diferente da história do meu pai, e, além disso, a minha meta era me tornar um exemplo para toda a minha família e ser motivo de orgulho da minha mãe.

Pois bem, para quem ainda não conhece a minha história, este é momento de saber um pouco mais sobre mim, sobre o meu passado e sobre o meu presente.

Eu era mais um desses garotos que nascem em cidades pequenas no interior do país, onde as oportunidades são restritas à realidade de cada família. No meu caso, para complicar um pouco mais, a minha família teve de enfrentar muitos desafios ao longo de toda a nossa história, principalmente durante a minha infância. O meu pai foi ausente e, mesmo trabalhando, acabava não ajudando em nada em casa. Nas vezes em que esteve presente, foi mau exemplo. A única fonte de renda na minha casa era o salário de professora da minha mãe. Com o seu salário, a minha mãe sustentou uma casa com três filhos e um marido ausente.

Olhando as coisas dessa maneira, o nosso primeiro impulso foi achar que tudo era ruim e que ninguém daquela casa conseguiria ter um destino diferente. Até pode ser que as coisas se encaminhassem para esse lado, mas eu sempre acreditei que poderia fazer diferente, pois não há nada na vida que não possa ser mudado, e você também pode mudar o seu presente para construir um futuro melhor.

Ser diferente de tudo aquilo que experimentam sempre foi o meu objetivo, e, por esse motivo, trabalhar duro sempre foi a minha melhor alternativa. Eu pensava: ou eu trabalhava ou tudo permaneceria como era. Então, aos 11 anos de idade, eu já trabalhava fora de casa. Naquela época, distribuía panfletos na minha cidade, e a cada mil panfletos distribuídos, embolsava R$ 15. Pode parecer pouco – e é –, mas foi com esse dinheiro e com essa experiência que consegui começar a mudar as coisas.

A cada R$ 15 ganhos, era um passo a mais para conseguir mudar de realidade e conseguir trabalhar para construir uma vida melhor para mim e para a minha família, e era isso o que me motivava a seguir em frente.

O tempo passou, e, já com algum dinheiro no bolso e 16 anos nas costas, acabei por me mudar de Uruguaiana. Fui para uma cidade maior tentar a sorte e, enfim, começar a mudar a minha vida. Tudo o que eu tinha era vontade de mudar, pouco dinheiro e um quarto em um apartamento que dividia com mais três pessoas. Eu trabalhava e conseguia pagar as contas. Estava ali, sobrevivendo, até que comecei a me questionar:

– O que havia mudado em mim além do meu endereço?

O incômodo veio junto com a minha resposta: NADA. Eu continuava sobrevivendo e desejando mudar as coisas, mas seguia como antes, sonhando e me projetando para ser diferente, mas sem conseguir mudar nada. Foi assim que me vi, pela primeira vez, escravo da minha própria fonte de renda.

Era hora de mudar de novo, e então, aos 20 anos de idade, saí de um emprego fixo e me tornei sócio de uma empresa de consultoria. À época a empresa ia bem, e, para se ter uma noção, eu prestava consultoria para a maior empresa do ramo petroleiro do Brasil. Eu finalmente havia chegado aonde tanto queria. Uma luz no fim do túnel começava a se acender.

No entanto, não tardou para eu começar a perceber que estava enganado.

Você já se viu numa situação assim?

Eu estava preso no clássico caso de quem não consegue se ver livre – mesmo estando bem – de sua fonte de renda. "Como assim?", você pode perguntar.

Simples: financeiramente falando, eu havia chegado ao céu. Não me faltava nada, eu conquistava o que bem entendesse com o dinheiro que ganhava e, mais do que isso, conseguia dar um respaldo financeiro à minha mãe e aos meus irmãos. Então, o que faltava, afinal? Faltava vida, liberdade, prazer e tempo.

De fato eu tinha conquistado o sucesso financeiro que tanto almejara, mas sem saúde emocional nenhuma. Eu não conseguia descansar, e o meu negócio só funcionava se eu estivesse sempre 100% do meu tempo dedicado a ele.

É fácil concluir que, definitivamente, aquela não era a vida que eu queria. Para atrapalhar as coisas, a minha esposa também estava infeliz com a situação profissional e econômica dela, que

SE VOCÊ
SÓ FAZ ALGO
DE VEZ EM QUANDO,
NÃO FIQUE
BRAVO SE SÓ TIVER
RESULTADOS
DE VEZ EM QUANDO.

era a mesma que a minha: sucesso financeiro e nenhuma qualidade de vida.

A necessidade de mudança tornou-se uma constante na nossa vida.

Quando você se abre para o novo e passa a respirar a necessidade de mudança, tudo conspira a seu favor. Então, como num "passe de mágica", novas oportunidades começam a aparecer. Estar atento, de olhos e ouvidos abertos, é questão de sobrevivência nesse ponto. E, como eu já disse, o desejo de mudar não era só meu, mas também da minha esposa. E foi assim, por meio da minha esposa, que a indústria de vendas diretas e *marketing* de relacionamento entrou em nossa história.

Numa viagem de trabalho, esgotada por estar viajando demais e passar tanto tempo longe de casa, a minha esposa foi abordada por Marcus Clemente que estava retornando de um treinamento. Mas, como basta estar disposto para deixar a oportunidade entrar pela porta da frente da nossa vida, naquele dia, em um contato direto, a minha esposa se encantou pela história do Marcus e, mais do que isso, pela aparente qualidade do produto que ele vendia.

Ao sair do avião, ela logo me procurou para contar essa novidade. Ela estava encantada, torcendo para que a reunião para a qual fora convidada chegasse logo. Eu, a contrário dela, fui mais duro e cético e, para falar a verdade, não conseguia acreditar que aquele seria um bom negócio. Puro preconceito da minha parte.

Se por um lado continuei descrente, por outro a minha esposa estava empolgada com a nova possibilidade de trabalho. Eu fui categórico, não queria que ela fosse à reunião e não queria que ela assinasse nada.

Ainda bem que ela fez isso!

Ao voltar da reunião, aquela empolgação inicial havia triplicado. Eu, claro, fiquei curioso e só então quis saber mais sobre aquela empresa que tanto tinha encantado a minha mulher. Alguns dias depois, ao experimentar um dos produtos, me dediquei a conhecer a empresa e o modelo de negócios. Pesquisei, fui atrás de quem já fazia parte, fui ler mais sobre os produtos e, claro, tentei entender como seria o retorno financeiro.

Após pesquisar, decidi que entraríamos para aquela empresa que prometia mudar a nossa história de uma vez por todas. Risco? Eu não via muito risco, já que todo o investimento era revertido em produtos, ou seja, se desse errado, os produtos ao menos eram nossos e nos fariam mais felizes e mais bonitos.

Entramos. E entramos de cabeça, pois aquela era a mensagem que eu tanto esperava do Universo. Entende agora por que é preciso estar atento a cada sinal? Nada acontece por acaso, e eu sabia que aquele seria o primeiro passo para a mudança definitiva da nossa vida.

A indústria de vendas diretas é, na minha opinião, a melhor oportunidade para que pessoas comuns tenham resultados incomuns. Eu sou o exemplo vivo do que estou dizendo. Nesse negócio, você com certeza conhecerá algumas das pessoas mais extraordinárias com quem já teve contato. Em todos os grandes eventos, vemos pessoas com habilidades sensacionais subirem no palco e darem um verdadeiro *show*!

Porém, nem todos são assim. E mesmo os que não dominam a arte da oratória, ou a arte da venda, ou não dominem nenhuma outra habilidade, mesmo assim conseguem ter sucesso nesse negócio. Você talvez pergunte como fiz para ter sucesso nesse negócio? Foi simples: tenho disciplina e aprendo com os meus erros.

Você está preparado para entrar de cabeça nesse negócio?

CAPÍTULO 2

ENTENDA AS QUATRO CRENÇAS

Se você, assim como eu era no início, ao entrar para o negócio de vendas diretas, acredita que as coisas chegarão até você e que, mais do que isso, basta ter amigos e um bom relacionamento com as pessoas ao seu redor para que as vendas estejam garantidas, cuidado!

De cara, ao entrar no ramo das vendas diretas, eu estava fascinado, e, como todo sujeito apaixonado pelo que faz, mas sem conhecimento algum, saí apressado atrás de resultados. Para que você tenha uma noção do que estou falando, não esperei nem a primeira reunião. De início, só de ouvir os relatos da minha esposa, saí ligando para mais de cinquenta contatos de amigos e pessoas próximas oferecendo o produto.

Esse é um erro clássico cometido pelos que estão começando. Você deve estar pensando: "E é, sim". Esse é um erro bem comum

**LEVA ANOS
PARA ACONTECER
UM SUCESSO
DA NOITE
PARA O DIA.**

e parece tomar conta de todos que entram para esse negócio. Por isso, o primeiro passo para alcançar o sucesso é: não atropele as coisas, tenha calma e aguarde a sua vez.

Ao ligar para esses cinquenta amigos, não só queimei esses contatos, por não conseguir explicar corretamente sobre do que se tratava o negócio, como também dei margem para as pessoas acreditarem que eu estava na pior. O velho preconceito que ronda quem trabalha com vendas diretas e *marketing* de relacionamento é ser rotulado de fracassado, de pessoa que está vendendo o almoço para pagar o jantar.

Com essa atitude precipitada, perdi esses cinquenta contatos. Mas, pior que isso, eu alimentei em mim o monstrinho do sabe-tudo. Eu achava que sabia tudo, que estava pronto para encarar qualquer desafio e que as minhas experiências anteriores bastavam para conquistar sucesso nesse novo ramo.

Mais uma vez eu estava redondamente enganado e, perigosamente, fechando portas do conhecimento na minha vida. Só depois de dar muita cabeçada foi que comecei a entender ser preciso humildade para conseguir alcançar sucesso nesse setor. E foi desse sentimento que surgiram as quatro crenças.

Para ter resultados expressivos na indústria de vendas diretas, é fundamental desenvolver quatro crenças que serão os pilares do seu sucesso: crença na indústria, na empresa, nos produtos e em você. Vamos falar um pouco sobre elas.

**ARRISCADO
É NÃO FAZER NADA,
DEIXAR A VIDA PASSAR
E NÃO VOAR.**

1. Crença na indústria

Por mais cético e duro que você ou quem entrar nesse ramo seja, há de concordar comigo que não há ser humano que persista e evolua em um trabalho se ele não acreditar minimante no que faz. E quando me refiro a acreditar na indústria, nessa lista de quatro pilares, estou querendo dizer que você precisa acreditar no modelo de negócio em que está depositando toda a sua energia.

Você acredita na indústria de vendas diretas?

Ou, assim como eu era antes de fazer parte dela, você torce o nariz e acredita que todas as pessoas que trabalhavam com isso estão no ramo porque, em algum momento da vida, haviam fracassado, e que trabalhar com vendas se tornou a única opção?

Se você está nessa fase de desacreditar na indústria, não se preocupe – eu faço parte dela hoje –, você também poderá, assim como eu, mudar os seus conceitos. Para ajudá-lo, vou alimentá-lo com um pouco de boas informações.

Bem, para começar, esse é um negócio muito antigo, se não for o mais antigo do mundo, e está entre eles seguramente. A indústria de vendas diretas surgiu em 1886, quando David McConnel iniciou a California Perfume Company, em Manhattan, Nova York. A empresa, que se tornaria Avon somente em 1939, hoje é mundialmente conhecida e é a pioneira no ramo de vendas diretas. Isso mesmo, a venda de produtos porta a porta e, posteriormente, por meio de fascículos, existe há mais de cem anos.

PÁSSAROS CRIADOS EM GAIOLAS COSTUMAM TER MEDO DE VOAR.

Então, se o seu medo é se arriscar em um negócio novo e com pouca garantia de que dará certo, saiba que esse modelo não só existe há mais tempo do que você poderia imaginar, como também já teve tempo de ser testado, aprimorado e modificado. E mais do que isso, regulamentado!

Sim, a indústria de vendas diretas é uma atividade regulamentada desde 1979 e, portanto, difere da tão temida "pirâmide financeira" – que é ilegal, não é sustentável, depende da entrada de pessoas, o foco não é no produto ou serviço, normalmente quem entra primeiro ganha mais, atrasa pagamentos, não paga impostos e por aí vai. No Brasil, pirâmide financeira é crime! A prática da pirâmide financeira configura crime contra a economia popular, conforme prevê a Lei nº 1.521. No esquema piramidal, os produtos e serviços não têm valor comercial e, muitas vezes, nem existem. Normalmente, os participantes são remunerados somente pela indicação de outros indivíduos ao esquema, sem precisar vender nada.

Para você ter uma ideia do que acontece no esquema da pirâmide, o recrutamento é estimulado ao máximo, com a promessa de dinheiro fácil e rápido, mas quem ganha realmente são os primeiros que entraram no negócio, independentemente do esforço realizado. Por isso, é considerado ilícito.

Já no *marketing* de relacionamento, é garantido que, ao entrar neste negócio, você não só deve ganhar as comissões por meio das vendas que realizar, como também pode ultrapassar em

DOMINE A SUA MENTE OU ELA DOMINA VOCÊ.

termos de influência e de rendimentos aquele que o apresentou ao negócio (ou seja, no *marketing* de relacionamento sério, não necessariamente quem entra primeiro ganha mais).

A venda direta é aquela efetuada por meio de relacionamento, por profissionais autônomos e fora do estabelecimento fixo. Empresas de distribuição multinível são aquelas que comercializam produtos por intermédio de comerciantes ou distribuidores que, por sua vez, patrocinam outros, recebendo pagamentos baseados sobre as vendas realizadas pelos patrocinados. No Brasil, os pagamentos correspondentes às vendas feitas pelos patrocinados estão sujeitos ao recolhimento do Imposto de Renda na fonte, bem como, no caso de pessoa física, da contribuição para o Instituto Nacional de Seguridade Social. Se isso ainda não é o suficiente para convencê-lo, vamos à segunda crença.

2. Crença na empresa

Enquanto a primeira crença diz respeito ao modelo de negócio e, portanto, ao modo como você irá trabalhar, a segunda crença refere-se à empresa que você irá escolher – ou pela qual será escolhido – para trabalhar e aplicar o conhecimento sobre o negócio das vendas diretas.

Se em 1886 a Avon era pioneira e só era possível trabalhar com vendas diretas se o profissional quisesse comercializar perfumes e cosméticos, hoje as coisas mudaram um pouco. A própria Avon ampliou o seu leque de produtos, ampliando as possibilidades de

UMA MENTE
NEGATIVA NUNCA
LHE DARÁ UMA
VIDA POSITIVA.

Capítulo 2: Entenda as quatro crenças

vendas. Mas mais do que isso, a quantidade de empresas que oferecem o serviço de vendas diretas é gigantesco, o que naturalmente pode causar dúvidas e receio de se arriscar com algo que não seja sério e acabe levando embora o seu tempo e o seu dinheiro.

Para isso não acontecer, o ideal é que se saiba onde está pisando. Isso significa que, antes de entrar de cabeça em qualquer negócio de vendas diretas, é preciso pesquisar muito até se cansar de tanto procurar informações a respeito do lugar em que pretende focar toda a sua atenção e dedicação.

Procure se informar a respeito da empresa e saber coisas como há quanto tempo está no mercado, quantas pessoas trabalham para ela, em quantos países atua. Quanto maior a quantidade de países em que uma empresa estiver, maior a área de atuação e a possibilidade de crescimento. Saiba também quais tipos de auxílios ela presta aos membros da equipe e, por fim, qual produto principal ela vende.

Com o tempo, você perceberá que esse exercício de pesquisar a respeito da empresa em que pretende trabalhar fará não só que você amplie o seu leque de opções, como também que você se encante pelo negócio. Afinal de contas, você estará pesquisando empresas que vendam produtos que despertam o seu interesse e também sejam confiáveis para você se dedicar a elas. Também é importante consultar entidades e associações nas quais a empresa esteja registrada e também os registros dos produtos em órgãos competentes.

VITIMISMO
É UMA DOENÇA
DESENVOLVIDA
POR PESSOAS
FRACASSADAS.
EVITE-AS
ANTES QUE
CONTAMINEM
VOCÊ.

Percebe que essa crença leva a outra necessidade?

3. Crença no produto

Mas de nada adianta pesquisar a respeito das empresas que atuam no setor de vendas diretas e escolher uma para atuar se você não se empenhar em conhecer os produtos que elas oferecem.

Apenas tenha atenção nesse ponto ao fato de a crença no produto dizer respeito não apenas ao potencial de venda de um determinado item, mas também à relação que ele estabelece com você.

O que quero dizer com isso? Ora, quero dizer que não basta dedicar-se a vender algo só porque é fácil de vender se nem você – que é o profissional que irá vender – tem coragem de usar esse produto. Consegue compreender agora o que é a crença no produto?

Acreditar no produto é realmente se sentir bem e satisfeito ao vendê-lo a alguém, porque você sabe que aquele item é algo que irá levar benefícios à pessoa que usá-lo. Acreditar no produto é usá-lo mesmo que você não o vendesse. É querer indicá-lo a todas as pessoas, mesmo se ele não trouxesse lucros para você. É querer ampliar a sua área de atuação de vendas para conseguir levar o produto a mais pessoas interessadas.

Acreditar no produto é simplesmente conhecê-lo bem e, consequentemente, acreditar ele e nos benefícios que se propõe entregar.

Como, então, vender um produto tão bom a ponto de querer transformá-lo em presente? Essa pergunta nos leva à quarta e última crença.

4. Crença em você

Isso mesmo: a última crença diz respeito à nossa capacidade de acreditarmos no nosso potencial e, por meio dele, no quanto somos capazes de realizar coisas diferentes.

Há uma informação da qual você precisa se lembrar a partir daqui: **Ninguém nasce sabendo fazer tudo.**

E por mais que você acredite que o negócio das vendas diretas é difícil, porque você não sabe falar em público, porque você é tímido, porque você não sabe cobrar as pessoas ou porque você não consegue abordá-las quando não as conhece, acredite: todas as pessoas que se dedicam a entrar em um negócio diferente precisam aprender a exercer diversas funções. E você pode ser uma dessas pessoas, mas, para se tornar alguém de sucesso no ramo das vendas diretas, terá de ser humilde o suficiente para se dedicar a aprender o que você não sabe.

Só se consegue ter humildade para aprender as coisas se confiar no seu próprio potencial e na sua capacidade de evoluir e transformar o mundo ao seu redor.

Não adianta querer ter sucesso se você não acreditar em algo, e, mais importante que isso: é preciso acreditar em você! Pense:

"Eu também posso ter sucesso nesse negócio" – esse deve ser o seu pensamento todos os dias ao acordar. Por isso, para começar nesse negócio, entenda:

a. Saiba que você terá muitos desafios – o dinheiro não é fácil, não é todo mundo que aceitará os desafios, e, portanto, não é todo mundo que conquistará a tão sonhada liberdade financeira. Para vencer, muitas vezes você terá que aceitar o desafio de pensar diferente e agir diferente. Muitas pessoas não têm resultado porque não fazem o mínimo necessário.

b. Saiba que será preciso preparar-se: "a vontade de se preparar precisa ser maior do que a vontade de vencer". Ler, estudar e se conectar no sistema de treinamento da sua empresa, estar presente aos eventos, estabelecer metas. Será preciso desenvolver habilidades sobre coisas que antes você não sabia fazer, pois, para ter um resultado melhor, será preciso fazer as coisas diferentes; do contrário, ou você diminuirá os seus sonhos, ou você aumentará as suas habilidades. Mais do que isso, você precisará aprender a ter paciência, e levará tempo. Entre plantar e colher, existe o regar e o esperar. Existe um tempo a ser esperado para que as coisas aconteçam, por outro lado, isso não significa esperar tudo estar exatamente no seu lugar, perfeitamente encaixado e só depois agir. O sucesso ama a velocidade e, às vezes, será necessário agir primeiro e acertar depois. Devagar você desanimará ao não ver resultados. No início será preciso viver com intensidade, para conseguir alcançar resultados, colocar velocidade e muita ação.

c. Saiba que você terá que acreditar que é capaz, acreditar que esse negócio é para você, não se comparar com os outros, não comparar os seus bastidores com a vida social dos outros. Todos têm defeitos, você também tem os seus.

d. Saiba programar a mente para ter sucesso, para ter a noção de que quem mais se sabota é você mesmo, não dar ouvidos a crenças negativas, não acreditar nas pessoas que dizem querer seu bem, mas vivem criticando as decisões que você toma por preconceito e desconhecimento. Saiba selecionar alguém com quem você possa se associar.

A lei da associação ensina como saber com quem você irá se associar. Normalmente, os resultados que se tem são semelhantes aos resultados das pessoas com quem se convive, porque somos influenciados por essas pessoas a fazer as coisas mais ou menos parecidas umas com as outras. Por isso, é preciso saber observar ao seu redor e questionar-se. Como é o convívio com a sua família? Será que as pessoas da sua família o puxam para baixo?

Tenha cuidado com o convívio com a sua família e mesmo com os seus amigos. O ambiente influencia o meio, e caso perceba que essas pessoas o puxam para baixo, terá de criar as condições para poder sair de casa. Será preciso coragem, saber que terá de enfrentar muitos desafios e que vai precisar abrir mão de muitas coisas para conquistar o que você quer, e contar as dificuldades da vida para conseguir chegar aonde chegou. Romper com alguns familiares, em casos extremos, ou blindar a mente para ouvir somente o que interessa, é o que o levará ao sucesso pleno.

Talvez você tenha que parar de conviver com algumas pessoas para conseguir começar a ter sucesso. Mas não se preocupe, pois novos amigos vão aparecer, com mais sucesso que você, e assim sucessivamente. Ao perceber que você é a pessoa com mais sucesso do seu grupo, chegou a hora de se movimentar e ampliar o leque para também aumentar o seu sucesso.

CAPÍTULO 3
A IMPORTÂNCIA DE TER DISCIPLINA

Não faço a menor ideia de qual é o momento da sua vida em que você está lendo este livro, mas eu o estou escrevendo às 3h43 da madrugada, pois esse é o único horário em que tenho silêncio em casa. O meu filho, a minha filha e a esposa estão dormindo, então, tenho tranquilidade para escrever. Perceba que estou fazendo isso mesmo após já ter ganhado alguns milhões nesse negócio e tendo uma organização de líderes que fazem o negócio independentemente da minha presença, ou seja, cheguei ao ponto de atingir a verdadeira renda residual. Se eu, que já tenho muito resultado no negócio, mantenho a disciplina necessária, então quem iniciou há pouco ou ainda não tem os resultados que eu tenho deveria ter o quê? Exato: dez vezes mais disciplina do que eu!

Acontece que infelizmente, na maioria dos casos, não é isso que acontece. Preciso preparar você para o pior cenário. A maioria das pessoas que começa nesse tipo de mercado não tem a disciplina

CUIDADO COM O IMEDIATISMO, POIS ELE DESTRÓI FUTUROS.

necessária nem para fazer o básico, como ler um ou dois livros, ir a um treinamento presencial ou assistir a uns vídeos *online*. Quando alguém perguntar a razão de algumas pessoas nessa indústria não terem sucesso, agora você já sabe o motivo. A grande maioria das pessoas simplesmente não faz o básico.

Imagino que, em negócios tradicionais, nos quais, devido ao investimento ser consideravelmente maior do que na indústria de vendas diretas, as pessoas dão o sangue para fazer as coisas funcionarem. Ou melhor, caso não façam o mínimo, correm o risco de perder o emprego.

Vamos imaginar que você iniciou uma franquia e investiu um milhão de dólares no seu negócio. Você irá acordar cedo, irá para a loja, acompanhará de perto os seus funcionários, verificará o estoque, atenderá bem os clientes, fará promoções para aumentar o faturamento e assim por adiante. Então, por que, na indústria de vendas diretas, muitas pessoas não fazem isso? É tentador e muito fácil não fazer nada nesse negócio. Afinal de contas, você não tem um lugar para ir, não existe hierarquia, ninguém irá cobrar você. Por isso digo que é fácil "não fazer nada"; porém, se você não fizer nada, nada acontecerá. Entenda que o pior que poderá acontecer é justamente nada acontecer.

Ter disciplina está intimamente relacionado a fazer sacrifícios. Óbvio que, ao longo do tempo e ao ver resultados, você começará a ter prazer ao fazer o trabalho duro, porém, enquanto o resultado não vem, o sacrifício será enorme. Estar motivado quando você vai bem é fácil, o difícil é ter a consistência de trabalhar sem ver resultado aparente. Gosto de comparar o início de trajetória no empreendedorismo ao plantio e à colheita. Quando se planta algo, não se colhe no dia seguinte. São necessários dias, semanas, meses e até mesmo anos para que se comece a colher os melhores frutos. E enquanto você não colhe, o que deve fazer? Continuar plantando.

A maioria das pessoas trabalha forte nos seus primeiros três dias, e ao encontrar as primeiras dificuldades e ao não ver os resultados imediatos, diminui o ritmo até desanimar e parar.

COMO TER DISCIPLINA NA PRÁTICA OU A MARATONA 20 EM 30

Dentro do *marketing* de rede, há uma atividade, um projeto responsável por criar condições para se obter sucesso, que na minha opinião é o que mais funciona. Ele é chamado maratona, que nada mais é do que criar uma dinâmica, uma agenda, uma rotina de atividades. Mas por que isso? Ora, certamente, um dos pontos que mais atraem pessoas para o *marketing* de rede é a ausência de chefe. Ser chefe da sua própria agenda e das próprias atividades é maravilhoso, mas, se não houver disciplina, isso pode se tornar uma armadilha. Desse pensamento, surgiu a Maratona 20 em 30.

Logo você entenderá a razão desse nome, mas a sua essência está em criar uma rotina com 100% de foco e dedicação ao produto e à prospecção de novos membros para sua equipe de vendas. Desse modo, fazer uma Maratona 20 em 30 nada mais é do que cadastrar vinte contatos prospectados em trinta dias. Para quem está fora desse mercado pode parecer uma meta bastante simples e fácil, mas fique sabendo que se trata de algo bastante ousado e que exigirá dedicação total ao negócio nesse período de trinta dias, sem descanso, sem finais de semana e sem horas vagas. Prefere voltar a ter chefe?

Para você entender melhor, se conseguir fazer dez cadastros em trinta dias, já será uma pessoa de sucesso! Conseguir os vinte contatos cadastrados será algo que o elevará ao sucesso maior em muito pouco tempo. Por que isso acontece? Antes de responder o porquê, vamos ao como, já que a essência da dinâmica está na raiz da sua ação, que é simplicidade radical, ou, quanto mais simples você for, mais chances de cadastrar o contato você terá.

A mim isso parece lógico devido ao tempo mínimo de trinta dias para a execução da tarefa, o que o impede de complicar as suas ações. Por outro lado, também exigirá que você atue de maneira massiva. Resumindo, "maratonar vinte cadastros em trinta dias" requererá que você atue com precisão e simplicidade no maior número de pessoas possível, cem, duzentas, trezentas, para converter vinte cadastros. Entende agora por que é necessário 100% de foco?

Você deverá ir para a ação, pois se trata de menos teoria e mais ação. Por isso, para dar início a esse projeto ousado, você precisará saber o motivo por que quer começá-lo: por que você quer isso? Quais são os seus propósitos? Qual o seu sonho? Qual título você quer atingir na empresa em que atua? Quanto você quer ganhar durante essa maratona em dinheiro?

Nesses trinta dias em que você irá cadastrar vinte contatos, pense em você no próximo ano e qual título você vai estar ocupando no próximo evento da empresa. Tudo isso deve ser pensado, porque não será um projeto fácil; ao contrário, ele é algo cheio de sacrifícios que estão em jogo, e pensar no prestígio e na reputação que você terá se conseguir concluir essa maratona fará com que você não perca o foco e mantenha-se disciplinado durante os trinta dias.

Não existe segredo. Apenas chegue antes e saia depois. Faça mais do que pediram e confie 100% em você.

Outro ponto que você deverá saber antes de começar um projeto assim é que deverá ter consciência do seu poder de influência. O sucesso de um projeto dessa natureza, e não somente esse, é a sua disciplina e a dedicação para conseguir alcançar os seus objetivos, que serão determinantes para influenciar outras pessoas da sua equipe. Se duas ou três pessoas se inspirarem com a sua ação, o seu negócio explodirá de tal modo que você sairá da casa dos milhares e entrará na casa dos milhões de reais. Espero que você saiba disso!

Portanto, o que está em jogo a essa altura é criar um planejamento, fazer uma agenda compatível com a sua vida e com os seus objetivos e, mais importante, ter disciplina para conseguir cumprir diariamente essa empreitada sem desanimar e sem pensar em desistir.

Se você ainda duvida se é importante fazer assim, leia esta frase do Eric Worre: "Todos os milionários da indústria do *marketing* de rede, em determinado momento da carreira, colocaram muita intensidade em um curto período de tempo, e grande parte dos milhões de dólares de resultado que eles têm veio desse período de maratona". Então, se todas as pessoas de muito sucesso fizeram maratona, por que você acha que terá sucesso sem fazê-la?

Não faz o menor sentido agir e pensar diferente se, antes de você e de mim, outros já demonstraram que é assim que as coisas funcionam nesse mercado. Você precisa fazer assim!

Então, prepare o seu *mindset*, porque você terá que estar 100% focado, negociar muito com sua equipe e até com a sua família, porque haverá um momento em que você terá que dar menos atenção para algumas pessoas e criar uma lei da associação muito forte, porque o foco da maratona é recrutamento de novos prospectos, clientes e membros para sua equipe. E é importante que você tenha uma boa lei da associação e esteja perto de pessoas que estão motivadas como você.

Assim, é interessante entender a lei dos números. Dos vinte que você irá cadastrar, doze farão alguma coisa, sete continuarão e quatro serão responsáveis por 90% da sua rede. Perceba que incrível isso, a lei dos números. Mas o que acontecerá se você não fizer a maratona? Você recrutará vinte pessoas em vinte meses, uma pessoa por mês. Desses vinte, oito farão alguma coisa, quatro ficarão no negócio e talvez um fique por mais de um ano, e em cinco anos você não terá mais ninguém.

Quando você não coloca velocidade, você não gera momento. Você não tem aquela coisa da conexão, em que várias pessoas entrando juntas com o mesmo foco, com o mesmo objetivo, fazem a roda girar. Então, pense que você tem que focar na solução do seu negócio. Então, para atingir isso, qual é o meio? Recrutar. Lembre-se desta frase: "Treinar não recruta, recrutar treina".

É muito importante que você foque no que precisa ser feito. Tome a decisão de fazer. Prepare-se para fazer essa maratona. O que é se preparar? É escolher aquele nível desejado, o seu nível de comprometimento, e, se você não estiver 100% focado, não faça, porque fazer para em seguida parar não é um bom negócio. Você terá que estar 100% comprometido com a maratona, escolher o momento em que você irá fazê-la acontecer. Você terá que esquecer os seus *hobbies* nesse momento, às vezes o futebol com a galera, tv, esportes, esqueça tudo! Nesse momento é 100% de foco!

Não misture a energia das pessoas da sua equipe, que estão fazendo a maratona, com a energia das pessoas antigas que não estão fazendo a mesma coisa que você e sua equipe. Então, às vezes é preciso criar um grupo específico para esse fim, pois ele será interessante para preservar a energia, preservar a velocidade, e não deixar aquela maçã podre querer contaminar as outras quando estiver junto com as pessoas que vão fazer a maratona junto com você. Crie um ambiente positivo.

Você poderá pensar em desistir, mas cuidado! Não vai ser fácil o processo, sua rota precisará de ajustes, coisas vão acontecer. Você acabará se afastando de algumas pessoas, sabia? É, algumas pessoas vão se afastar de você, porque elas o verão tão focado em busca do seu sonho que, para elas, será doído, sabe? Para algumas pessoas, vai doer ver você se desenvolvendo, pois elas querem puxar para a mediocridade delas; infelizmente isso acontece.

Há pessoas que não suportam ver ninguém se desenvolver. Muitas pessoas não suportam nos ver crescer. É mais fácil, para elas, querer nos puxar para baixo do que quererem chegar ao nosso nível, então, não tenha medo, não fique triste quando isso acontecer, porque irá acontecer e é natural do ser humano. Sabe, é como uma "seleção natural" das amizades que você vai ter.

Quando você recrutar alguém, conecte ao sistema de treinamentos de sua empresa ou equipe, o sistema é melhor do que você e eu. O sistema trabalha para treinar sua equipe ensinando os passos para o sucesso enquanto você recruta novos membros. A ferramenta trabalha enquanto você dorme, enquanto você está mostrando o plano, enquanto você está viajando.

A ferramenta tem o que você não tem, que é o múltiplo tempo. Ela pode trabalhar para dez, vinte, mil, um milhão de pessoas ao mesmo tempo. Isso você não conseguirá, está certo? E durante a maratona, sempre pense que será desafiador. Eu já aviso antes, mas pense no que irá trazer de retorno, pense no legado que você deixará, no exemplo que dará, na meta que atingirá, no título que você irá bater, no reconhecimento que terá no próximo evento da empresa!

Na convenção, imagine-se subindo no palco e pensando assim: "Caramba, ainda bem que naquele dia eu tomei a decisão de fazer a maratona. Mudou o meu negócio, mudou a minha vida, mudaram as próximas gerações da minha família".

Tudo começa com uma decisão. Tomar a decisão de fazer a maratona.

CAPÍTULO 4

COMO COMEÇAR DA MELHOR MANEIRA

O início de alguém no mundo das vendas diretas e *marketing* de relacionamento é um momento crucial para determinar o quanto de sucesso essa pessoa terá, visto que os maiores desafios estão no pontapé inicial. Quando se inicia nessa indústria, assim como em qualquer outra, e não se tem muito conhecimento de causa, então tudo é novidade. Nesse momento, tudo é muito novo e, naturalmente, muitas dúvidas aparecem, seja da sua parte, seja da parte de quem trabalha com você.

Muitas vezes, todos sabemos disso, quando começamos a trabalhar em determinada área, seja ela qual for, o nosso maior desejo é que tudo dê certo e que os nossos esforços resultem nos melhores projetos. Porém, nem sempre as coisas são fáceis, e é mais comum do que podemos imaginar que as coisas saiam do planejamento. E aí, nessas horas, como reagimos? Como lidamos

NÃO DEIXE
QUE O MEDO
DO NOVO O IMPEÇA
DE DAR O PRIMEIRO
PASSO PARA OS
MELHORES DIAS
DA SUA VIDA.

com a pressão que vem de nós mesmos? E, mais do que isso, como lidamos com a pressão daqueles que estão à nossa volta?

Imagino que você, assim como eu, já tenha tido um chefe. E não importa que tipo de chefe tenha passado pela sua vida profissional no início de carreira, tenha sido ele um durão ou alguém mais maleável, pois qualquer líder tem como objetivo formar seus liderados e, com isso, colher os resultados que espera deles. E o que vem junto com esse pacote? A pressão pelo melhor resultado.

Na indústria de vendas diretas, a cobrança por resultado não é menor. A diferença está, como você já sabe, na ausência da figura do chefe. O trabalho que muitos desejam ter é atraente por não ter aquela figura que nos cobra resultado o tempo todo, que cobra insistentemente que o horário seja cumprido e o trabalho seja entregue no final do dia. Esse modelo de negócios é maravilhoso e nos permite ter certa liberdade, seja para trabalhar no dia a dia, seja para organizar nossos objetivos e projetar os nossos próprios resultados. No entanto, isso não significa que o trabalho esteja livre de pressão nem de julgamentos. E é aí que tudo pode ser diferente, a depender do seu início nessa indústria.

Se alguém apontar o dedo para si mesmo e disser que o negócio não é sério, muitas vezes, até você mesmo se questionará: "Será que ele está certo e eu fiquei louco de entrar neste negócio?"; "Será que eu vou perder o meu tempo e o meu dinheiro?"; "Será que fui enganado?".

A MEDIDA
DOS SEUS SONHOS
É CRUCIAL PARA
DEFINIR O TAMANHO
DAS SUAS REALIZAÇÕES,
MAS ISSO NÃO O LIBERA
DE TER DE ENFRENTAR
DESAFIOS E SUPERAR
DIFICULDADES AO
LONGO DO CAMINHO.

Essas perguntas vão rondar a sua cabeça por muito tempo, e é bom que você esteja preparado para lidar com elas, pois a resposta que você der a elas é o que vai determinar se você permanecerá nesse negócio e ampliará as suas possibilidades de sucesso ou se desistirá antes mesmo de ter experimentado as maravilhas desse trabalho.

Que tipo de começo você quer ter?

A SELEÇÃO NATURAL

Já conheci pessoas com extremo potencial que ficaram pelo meio do caminho nos primeiros dias de implantação de um novo negócio. Essas pessoas, costumo identificar como alvos da seleção natural: nem todos estamos preparados para viver esse empreendimento, ou pior, não estão dispostos a se desenvolver para isso. E no início, os primeiros contatos com a tão sonhada liberdade, podem ser os únicos momentos ao lado da venda direta, pois, naturalmente, quem não souber lidar com a pressão externa, quem não tiver conhecimento do produto e da indústria que tem e mãos e, mais do que isso, não confiar em si mesmo, está fora.

Certa vez cadastrei um novo distribuidor em minha organização, um grande amigo de infância que só entrou no projeto um ano depois que eu já estava nele; é o caso típico de quem nos conhece a vida toda, mas só acredita no sucesso do negócio quando vê o nosso próprio sucesso. Estão errados? Diria que são

NA DÚVIDA, COMECE.
VOCÊ NUNCA TERÁ AS
RESPOSTAS PARA TODAS
AS PERGUNTAS, MAS
PERSISTIR NO COMEÇO
É FUNDAMENTAL
PARA COMEÇAR A
RESPONDÊ-LAS.

mais cautelosos e com pouca confiança em si mesmos, mas ainda bem que nunca é tarde para começar.

Esse amigo, ao começar no projeto, teve sucesso rápido, já iniciando dois novos distribuidores nas primeiras horas após ter se cadastrado. Ele estava muito feliz e entusiasmado, porém, mal sabia ele que sua felicidade duraria apenas algumas horas. Ao acordar no dia seguinte, recebi uma ligação dele informando que os dois contatos que ele havia cadastrado no dia anterior queriam cancelar o pedido. Isso mesmo, os dois queriam cancelar tudo e sair do negócio. Imagine a minha reação prevendo a frustração do meu amigo que acabara de começar e já levava uma "porrada" dessas? Ao mesmo tempo, pensei comigo: "Se ele passar por esse desafio, vai longe nesse negócio", ou se não estiver pronto, vai desistir agora.

E foi o que aconteceu. Apesar de triste, ele permaneceu, encontrou novos contatos e acabou por se tornar um dos maiores líderes da minha organização.

A verdade é que o Universo vai testá-lo constantemente para ver se você merece algo muito melhor no futuro. Se você não resistir aos desafios, talvez esse negócio realmente não seja para você. Entenda que nem todas as pessoas terão resiliência suficiente para colher os melhores frutos. Estes precisarão se contentar com frutos menos saborosos. Cabe a você decidir em qual grupo estará.

Quando comecei no projeto, meu patrocinador e mentor no negócio estava a milhares de quilômetros de distância de mim.

Hoje sou capaz de creditar muito do sucesso que tive a isso. Não estou dizendo que a ajuda dele não fosse importante, longe disso. Porém, acredito que a falta de alguém presente todos os dias me dizendo o que fazer despertou em mim a iniciativa de buscar mais informação. Depender do seu *upline*, de quem o colocou no negócio para trabalhar é uma das piores características que pessoas novas nesse negócio podem ter.

Não apenas nessa indústria, mas também na vida, depender dos outros é uma das piores coisas que podem acontecer. Entenda que seus *uplines* (quase) sempre estarão disponíveis para ajudar, mas, se você depender deles, simplesmente não irá crescer. Eles têm o negócio deles, e você tem o seu. Seja responsável e mereça o tempo de seus líderes. Eles já fizeram o que de melhor poderiam fazer: deram a você a oportunidade da sua vida. Faça por merecer essa oportunidade de ter atenção deles tendo iniciativa de buscar a informação.

Acreditar que as coisas sempre chegarão até você ou que todos estarão sempre disponíveis para fornecer informações é o mesmo que ceder às pressões das pessoas que desconhecem o nosso trabalho e, por isso, costumam apontar os dedos na nossa direção e julgar tudo aquilo que fazemos, espalhando o preconceito por aí.

Se você deseja mudar a sua vida e caminhar para conquistar sucesso dentro da indústria de vendas diretas, é preciso estar preparado para o início desta aventura e, por isso:

1. Já aviso, de saída, que não é fácil, e o começo pode ser pior do que você imagina.

2. Muitos contatos serão apenas contatos, pois, em geral, para que você consiga fazer um cadastro, precisará fazer pelo menos três ou quatro contatos até fechar um.

3. As críticas sempre existirão, e o estudo, tanto do mercado quanto do produto que você está vendendo, é o que garantirá que você consiga ignorar as críticas.

4. Contar com o apoio da sua família é importante, mas, caso esse apoio não aconteça, é preciso saber lidar com ele e persistir até que o sucesso apareça.

5. Você terá de aprender a fazer coisas que nunca imaginou, por isso, comece desde já a ter iniciativa e vontade de descobrir o novo, o que assusta e o que você não domina.

6. Estabeleça metas, trace os seus sonhos e projete o ponto que você deseja alcançar, pois isso é o que o ajudará a se manter firme quando ninguém acreditar em você.

Comece, apenas comece e nunca se esqueça: não é fácil, mas vale a pena.

CAPÍTULO 5

A ERA DA INFORMAÇÃO – COMO VENCER NESTA ERA?

Você já parou para pensar na velocidade em que as coisas vêm mudando atualmente?

Eu, sinceramente, espero que a sua resposta à pergunta que abre este capítulo seja "sim". E espero isso não porque desejo que você seja uma pessoa atenta à tecnologia e muito menos ligada às informações gerais, mas porque saber lidar com o movimento de mudança é fundamental para que você consiga se destacar na indústria de vendas diretas.

Você está disposto a acompanhar o mundo na velocidade em que ele caminha? Você está disposto a aprender a usar a tecnologia a seu favor? Você está disposto a aprender coisas novas?

UM GRAMA
DE AÇÃO VALE MAIS
QUE UMA TONELADA
DE CONHECIMENTO.

Está disposto a desenvolver habilidades que nem sequer imaginava que existiam? Você está disposto a mudar a sua dinâmica de trabalho? Está disposto a entender que longas distâncias podem ser encurtadas graças à tecnologia?

Tome o tempo que for preciso para lidar com essas provocações.

Está pronto para encarar o que está por vir?

Vamos começar falando um pouquinho sobre algo que todos falam: a internet mudou o mundo. Isso é um fato mais do que comprovado, e ficar falando sobre isso neste livro é tomar desnecessariamente o meu tempo e o seu. Então, aceitemos esse fato como o primeiro passo na nossa conversa para sobreviver e se destacar nessa nova era.

Nem preciso dizer que, para sobreviver ao *marketing* de redes, você terá, então, que marcar presença na internet. Sim, isso quer dizer estar nas redes sociais, formar um público, interagir com as pessoas que o seguem, compartilhar o seu conhecimento e tudo isso sendo você mesmo. Portanto, aí vai a lição número um:

1. Torne-se alguém na internet

Não importa se você já tem ou não um perfil nas redes sociais, se você gosta ou não delas, isto é, das redes sociais: elas são uma realidade e, mais do que isso, são uma excelente ferramenta de vendas. Logo, se você quer trabalhar com vendas diretas, precisará

**PLANEJE
O SEU PRESENTE
PARA CONSEGUIR
ENCONTRAR UM FUTURO
QUE SE APROXIME
DAQUELE QUE É A SUA
MAIOR REFERÊNCIA
DE SUCESSO
E DEPOIS DESCUBRA
AS FERRAMENTAS QUE
O LEVARÃO A ALCANÇAR
ESSE SONHO.**

estar nas redes sociais. Não tenha medo de começar a falar, de se expor. Muitas pessoas que o criticam não têm coragem de fazer o que você faz – embora queiram ter essa coragem. Então, comece a falar nas suas redes sociais, e o seu público irá aparecer.

A verdade é que, há algumas décadas, nem todas as pessoas tinham acesso a informação. Hoje em dia, a tecnologia encurtou distâncias e diminuiu custos. É bem verdade que alguns grupos da população mundial ainda não têm todos os recursos disponíveis, mas, se você está lendo este livro, arrisco dizer que seguramente você tem acesso a todos os recursos necessários para ter sucesso, não só na indústria de vendas diretas, mas também em tudo o que quiser na vida.

Como dizia Bill Gates: "Nascer pobre não é culpa sua. Morrer pobre, sim". Assuma a responsabilidade pela sua vida e busque as informações e as ferramentas necessárias para colocar seus planos em prática. Crie o hábito de assistir no mínimo a um vídeo de treinamento, ouvir um áudio motivacional e ler um capítulo de um bom livro por dia. Toda essa informação está acessível a você com custo praticamente zero. Basta você ir atrás daquilo que é necessário para se tornar melhor do que é hoje.

2. Busque informações

Aprender e buscar conhecimento nos dias de hoje está relacionado a você e à sua decisão de aprender. A figura de alguém que o ensine é fundamental, sim, mas ela já não é a única opção,

SER RESPONSÁVEL
PELOS SEUS ATOS
É TOMAR CIÊNCIA DE QUE
O QUE NÃO DEU CERTO
PODE SER MUDADO,
MAS NÃO PODE
SER SIMPLESMENTE
LAMENTADO.

ainda mais quando nos referimos à procura por especializações, aprendizados novos etc. E se você deseja ampliar o seu conhecimento na área de vendas diretas, saia em busca de informações. Leia livros sobre assuntos, assista aos vídeos, compareça a eventos.

Buscar informações, estudar e ler sobre o assunto é o que se deve fazer para se tornar minimamente responsável pelo negócio que você decidiu seguir. O que, então, você pode fazer a mais?

3. Tenha alguém como referência

Por mais que o tempo passe e por mais que a internet evolua, certas coisas continuarão funcionando do mesmo modo e terão sempre o seu nível de importância. Ter alguém como referência é uma dessas coisas, e, no que se refere às vendas diretas, eu diria, é essencial. Por isso, tenha alguém que o inspire, que faça os seus olhos brilharem e que seja exemplo para o futuro que você deseja alcançar. Quanto mais próximo você estiver dessa referência, mais próximo você estará de se tornar essa referência.

E o mais importante: nunca deixe de se atualizar e seguir o seu planejamento. As coisas podem mudar e evoluir, mas ser persistente e alimentar a sua mente com conhecimento sempre trará benefícios ao seu negócio. Isso é fundamental para você começar a se destacar nessa Era da Informação.

4. Assuma a responsabilidade

COPIE SEMPRE
OS MELHORES
E VOCÊ TERÁ UMA
GRANDE CHANCE
DE SER UM DOS
MELHORES.

Isso mesmo que você leu. Quantas vezes você teve coragem de assumir uma culpa, qualquer tipo de responsabilidade? Não tenha medo de responder a verdade, pois, quanto mais sincero você for, mais próximo de alcançar o sucesso você estará. Quando me refiro a assumir a responsabilidade, não quero gerar em você um sentimento de frustração ou tristeza; muito pelo contrário, quero que você se sinta responsável pelos seus atos e, exatamente por isso, seja capaz de fazer diferente da próxima vez.

Certa vez participei de um treinamento que me impactou profundamente e cujos ensinamentos levo comigo até hoje. Naquele treinamento, um grande mentor no âmbito familiar e financeiro falou que devemos sempre assumir a responsabilidade. Isso mesmo, sempre assumir a culpa pelo que acontece em nossas vidas. É muito tentador jogar a culpa e o mérito nos outros. Obviamente é mais confortável se eximir de responsabilidade e acreditar que as coisas não deram certo "porque era *pra* ser assim" ou porque alguém agiu de forma que não correspondia a sua expectativa.

A verdade é que, quando você assume a responsabilidade, você melhora, você se desenvolve. Mesmo quando a culpa não é sua, caso você a assuma, irá desenvolver as habilidades necessárias para atingir o que quer, independentemente do que acontecer no meio do caminho. Por exemplo, se você for para uma negociação e não fechar o negócio, assuma que você não argumentou de forma clara o suficiente, que não utilizou as técnicas de fechamento necessárias para fechar o negócio. Mesmo que a culpa não tenha sido sua, o fato de assumir para si fará com que estude novas técnicas e assim, consequentemente, melhore. Assumir a culpa significa fazer o que está sob seu controle e esquecer o que não está. Essa é uma das chaves para o sucesso em todas as áreas da vida.

5. Tenha mentores

Mentor é diferente da pessoa que tomamos por referência. Ao contrário da pessoa que é para você uma referência e, portanto, serve como fonte de inspiração e admiração, o mentor é aquela pessoa que, além de ser inspiração e modelo, é também alguém que o orienta a conseguir ser como a sua referência. E isso, claro, exige que o mentor seja alguém de sua confiança, capaz de lhe ensinar, mostrar os melhores caminhos, mas também indicar os pontos que precisam ser melhorados para atingir o que você deseja.

A verdade é que na vida você irá encontrar pessoas de sucesso e pessoas fracassadas. Todos os negócios, e na verdade todas as áreas da vida, são assim. Cabe a você decidir a quem irá seguir. Recomendo que você tenha mentores. Ter mentores significa seguir o caminho, seguir a trilha de alguém que já percorreu o caminho que você deseja percorrer. Tenha muito cuidado com conselhos de quem não faz o que diz que será ou que deverá ser feito. Muitas pessoas surgirão no seu caminho querendo dizer a você o que deve fazer. Siga conselhos de quem, comprovadamente, já alcançou o que você deseja alcançar. Não tenha vergonha de pedir ajuda, convidar para um café, para uma conferência *online* etc.

Essa ferramenta é extremamente poderosa e me ajudou a alcançar boa parte do que tenho. Alguns mentores nem sabem que são, porém, reflito simplesmente sobre tudo o que posso das ações deles. Aliás, saiba que você pode e deve ter mais de um mentor. Você deve ter diferentes mentores em diferentes áreas da vida. Você pode ter um mentor financeiro, alguém que já ganha por mês o que você deseja ganhar ou que já tenha o patrimônio que você deseja ter. Porém, essa pessoa talvez tenha sucesso financeiro, mas, por outro lado, não cuida bem do corpo e da saúde. Tenha, então, nesse caso, outra pessoa como mentor de cuidados com o corpo. Encontre também um mentor espiritual. Independentemente da sua crença (recomendo que você tenha uma, pois na minha opinião é tolo não acreditar que existe uma força maior do que nós), siga as pessoas que são exemplos de fé e imite os seus atos.

Um dos maiores receios de copiar ou imitar as pessoas é o pudor de parecer estar "copiando" alguém. Não tenha esse pudor, não tenha esse receio. Saiba que, ainda que de forma inconsciente, você dará o seu toque pessoal em tudo que fizer.

Ser uma pessoa de destaque na Era da Informação é um desafio, mas não é uma missão impossível. E você pode ser o que você quiser, mas precisa acreditar em você e se lembrar de que estar nesse negócio é aprender a lidar com desafios, aprendizados novos, ferramentas novas, pessoas novas, caminhos novos, diariamente.

CAPÍTULO 6

NUNCA PERCA A HUMILDADE

Se falar em sucesso e dificuldades na indústria das vendas diretas é muito comum, o mesmo não se pode dizer sobre a necessidade de nos mantermos humildes após atingir certo patamar de reconhecimento pessoal e financeiro. É raro assistir a um treinamento sobre *ser humilde e continuar vencendo, continuar lucrando*.

Depois de algum tempo nesse ramo, tenho me dedicado a pensar um pouco sobre isso. Ou melhor, a pensar sobre a humildade. Por que deixamos de falar sobre um ponto tão essencial como esse? Nos esquecemos ou simplesmente não acreditamos que ele seja importante? Ou será que imaginamos que a humildade seja algo que a pessoa aprende no início e depois não precisa ser revisado?

A essas perguntas, a cada vez que paro para pensar sobre elas, tenho uma resposta diferente. E, obviamente, a cada vez que o tempo passa eu mudo e estou diferente, transformado de alguma maneira. E isso não é ser humilde, me perceber diferente a cada vez que paro para pensar sobre mim? Estou cada dia mais convencido de que sim. Mas só fui entender isso com o tempo.

Quando atingi o meu primeiro milhão na indústria de vendas diretas, recebi todos os reconhecimentos possíveis. Se você já esteve em algum evento dessa indústria, sabe que o reconhecimento é um dos pilares mais sólidos e importantes em todas as empresas. Na empresa em que estava não foi diferente. Subi ao palco com minha família, e milhares de pessoas nos viram receber o cheque. Tive a oportunidade de agradecer a todos que impactaram de alguma maneira aquele resultado, até mesmo as pessoas negativas que duvidaram e aumentaram o meu combustível para o sucesso.

Nesse momento é fundamental manter os pés no chão. Por alguns instantes você irá pensar: "Eu consegui, eu sou foda". Saiba manter a gratidão pelos resultados alcançados, porém, mantenha a humildade. A linha entre ser humilde e se tornar um arrogante é muito tênue. Em alguns momentos é difícil ter o controle emocional para lidar com a "pseudofama" que se adquire. Já percebi inúmeros "líderes" que, ao atingir grandes feitos, acreditam ser semideuses, passando a tratar os outros com arrogância e simplesmente se esquecendo das antigas amizades e convicções. Eu não os condeno, pois, como afirmei, lidar com a "pseudofama" que se atinge quando se está por cima é muito difícil, e somente poucas pessoas conseguem.

Isso não acontece somente na indústria de vendas diretas. Alguns dias atrás, lia um artigo sobre uma ex-participante de *reality show* que, ao vencer o programa, passou a viver um padrão de vida altíssimo, que não era condizente com a sua realidade financeira, e, pior, passou a tratar mal todos que a cercavam. Ela acreditou que estava acima deles. O resultado negativo foi inevitável: ao acabar o recurso financeiro, se viu sem amizades para socorrê-la em seu momento de dificuldade e até mesmo serviu de chacota, como alguém que não soube lidar com a bênção que havia recebido. Recordo-me dos tempos que trabalhava como empregado em uma empresa de equipamentos hospitalares e um colega de setor foi promovido a um setor visto como superior; ele passou a evitar cumprimentar os antigos colegas, claramente se achando superior a eles.

O que uma ex-participante de *reality show*, um funcionário de empresa de equipamentos hospitalares e um distribuidor de empresa têm em comum? Todos não souberam lidar com seu momento de fama. Não tiveram o controle emocional e perderam a humildade. Para se construir uma reputação, leva-se uma vida; para perdê-la, bastam cinco minutos. Eu mesmo me vi tentado, em algumas ocasiões, a agir com arrogância (e talvez tenha agido), porém, fica o meu alerta para que você não cometa esse erro muito comum. Estou alertando pois acredito em você. Acredito que você terá sucesso massivo.

É importante que você entenda que manter a humildade é algo que se refere à sua relação não somente com as outras pessoas, mas com você também. Ou melhor, principalmente com você.

SAIBA MANTER
A GRATIDÃO PELOS
RESULTADOS
ALCANÇADOS,
PORÉM, MANTENHA
A SUA HUMILDADE.
A LINHA ENTRE SER
HUMILDE E SE TORNAR
UM ARROGANTE É MUITO
TÊNUE E PODE DESVIAR
A SUA ROTA PARA LONGE
DO SEU OBJETIVO.

Por que digo isso? A relação entre a humildade e o sucesso, por difícil que seja enxergar isso em determinadas fases da vida, é extremamente fundamental. Sabe por quê? Acompanhe o meu raciocínio a seguir.

Para começar, espero que você ainda tenha em sua memória tudo o que leu no início deste livro! Mas para ajudar, vou retomar alguns aspectos, mas com outras palavras.

Você deve se lembrar do que leu no capítulo sobre *A maneira correta de se começar neste negócio* e também no capítulo sobre as *Quatro crenças*. Nesses dois capítulos, abordei pontos fundamentais para quem quer ingressar na indústria das vendas diretas e não sabe muito bem como entrar e por onde começar, certo?

Pois bem, ao falarmos sobre o início da carreira – de qualquer carreira –, sempre falamos sobre a necessidade de aprender coisas novas e, mais do que isso, da importância de estar disposto a conhecer o novo, a correr atrás de informações e a confiar em si mesmo e no trabalho que executa.

Para ser mais claro, isso tudo só acontecerá se você for minimamente humilde, não é mesmo? Afinal de contas, que pessoa que não for humilde se dispõe a começar uma nova carreira? A aprender coisas novas e a sair da sua zona de conforto para aprender com pessoas bem mais novas do que ela? Que pessoa faz isso?

Somente aquelas que são humildes e são capazes de olhar ao seu redor e estar prontas para aprender com o outro e a questionar

SER
HUMILDE
É TER A
CAPACIDADE
DE FAZER
UM POUCO MAIS,
AINDA QUE JÁ TENHA
FEITO O BASTANTE
PARA SER
RECONHECIDO.

quando não sabem o que fazer nem como fazer. O arrogante e o dono da verdade jamais fazem isso, mas também jamais saem da sua zona de conforto.

Ora, se no início é preciso ser humilde para aprender coisas novas e, então, com isso, se tornar uma referência e um líder de sucesso na indústria de vendas diretas, a mim parece óbvio considerar que somente com humildade o líder que já atingiu o seu sucesso sonhado no início conseguirá se manter em constante evolução e, consequentemente, atingir cada vez maior sucesso.

A certa altura da minha vida, quando já havia atingido os meus objetivos, tendo me tornado um membro da diretoria, muitas pessoas – novas e antigas no negócio – perguntavam por que motivo eu ainda me dispunha a fazer seis reuniões por dia. Eu não entendia muito bem essas perguntas no início e, confesso, desconversava. Hoje consigo entender que é pura falta de compreensão sobre a humildade.

A humildade muitas vezes é confundida com um ato simplório, com uma ação que desqualifica o cargo ou o *status* que você ocupa em determinada área, o que faz as pessoas suporem que ser humilde é o mesmo que não se reconhecer como líder ou como alguém bem-sucedido. Esse é o erro, pois a humildade é exatamente a capacidade de se reconhecer líder e ser capaz de ser ainda melhor e de transformar ainda mais vidas por meio da troca de conhecimentos e experiências.

Hoje, quando me perguntam por que ainda faço reuniões, sempre me recordo de um caso de sucesso. O Toninho. Ele é a expressão clara da minha relação com a humildade, uma vez que fechei o cadastro dele numa oportunidade absolutamente distante da posição que eu ocupava, mas fiz a reunião mesmo assim, no fim de uma tarde toda de apresentações. Foram seis apresentações ao longo de um dia todo. Para se ter uma ideia, nesse dia levei cinco nãos, mas o sexto disse sim. E o que aconteceu? Bem, para quem conhece o Toninho, não é preciso dizer mais nada. Mas para quem não conhece, basta dizer que ele se tornou um dos meus maiores líderes e passou a ser conhecido como *todo mundo quer um Toninho na equipe.*

CAPÍTULO 7

ASSUMA O CONTROLE FINANCEIRO DA SUA VIDA

Outro erro muito comum, inclusive já exemplificado anteriormente, é o de não ter controle financeiro quando se está no auge. Refiro-me ao auge pois, quando a situação é de arrocho, é inevitável ter controle financeiro. Se não há condições de pagar a conta de energia, você provavelmente não irá pensar em comprar roupas caras no *shopping* mais luxuoso de sua cidade. Simplesmente me recuso a pensar que alguém faria isso.

Nessas situações, o problema surge quando se imagina que temos recursos infinitos. O sucesso financeiro blinda os possíveis problemas. Eu mesmo agi dessa maneira e irei utilizar o meu exemplo neste capítulo.

O SUCESSO FINANCEIRO BLINDA OS POSSÍVEIS PROBLEMAS.

Quando ganhei o meu primeiro milhão na indústria de vendas diretas, o dinheiro era abundante. Não foi fácil chegar àquele patamar, mas, uma vez feita a construção sólida, o que no meu caso foi relativamente rápido, após um ano e meio dentro da indústria eu já tinha ganhos que beiravam os seis dígitos mensais.

Talvez você conheça a minha história antes de fazer parte desse negócio, talvez não. Recomendo que você leia meu primeiro livro, *Do Zero a 1 Milhão*. Neste capítulo não irei contar toda a minha história novamente, porém, devo dizer que tive uma infância difícil. Nunca faltou nada em casa, mas imagine uma mãe que criou três filhos com salário de professora do ensino público no Brasil. A minha mãe é uma verdadeira heroína. O meu pai ajudava esporadicamente, porém, como já mencionei em outras oportunidades, ele nunca foi presente, e se tornou um exemplo negativo para a família. Quando eu tinha 13 anos de idade, ele se afastou, e isso foi a melhor coisa que poderia ter acontecido, por mais cruel que pareça ser ter de dizer isso. O fato é que nunca tive abundância financeira antes de ter sucesso na indústria de vendas diretas. Até experimentei algum tipo de sucesso na empresa de consultoria e *marketing* onde trabalhei antes, porém, nada que se equiparasse.

Lembro que uma das coisas que mais me chamaram atenção quando conheci a indústria de vendas diretas era ter uma renda completamente residual após construir um mercado consumidor para a empresa. Ou seja, uma renda que acontece independentemente da sua presença física. Eu sonhava que isso pudesse acontecer comigo depois de muitos anos trabalhados, porém, foi muito mais rápido do que poderia imaginar. Em apenas um ano e meio, eu já estava experimentando resultados financeiros expressivos.

O pouco tempo no negócio e o histórico de dificuldades financeiras durante a minha vida fizeram com que eu não estivesse maduro suficiente com cifras tão astronômicas. Foi então que comecei a fazer besteira. Recordo-me de um dia antes de um evento, quando eu simplesmente imaginei que o relógio que estava usando não combinava com a roupa. Então, comprei um novo relógio de outra cor. Não me entenda mal, eu adoro relógios, porém, aquele com certeza não valia o valor que paguei nele. A futilidade, em alguns momentos, tomava conta de mim. A sensação de poder gastar o que quiser, sendo que na semana seguinte teria ainda mais dinheiro entrando na conta corrente, me dominava, e eu não imaginava que a nova realidade poderia mudar, e ela mudou.

A empresa na qual eu trabalhava foi adquirida por outra, e a fusão das duas levou cerca de um ano. Foi um ano de muita instabilidade no negócio, e diversas pessoas simplesmente não suportaram a espera. Perdi muitas pessoas, enquanto outras se demonstraram extremamente leais a mim. Mas durante aquele tempo de incertezas, o meu ganho financeiro diminuiu. Isso não seria problema se eu tivesse me preparado para possíveis adversidades; porém, não era o que havia acontecido.

Assim como um filho que desobedece à mãe quando ela diz para ele não correr e só obedece quando cai e machuca o joelho, finalmente aprendendo a lição, foi necessário o trauma para que eu aprendesse algumas lições também. A partir do momento em que percebi a diminuição dos ganhos, readequei a minha realidade financeira e pude passar tranquilamente pelo período de baixa nos ganhos.

Após a fusão das empresas, tudo voltou a crescer, inclusive em patamares maiores do que os anteriores. Porém, a diferença é que agora eu estava preparado. Mantive o meu padrão de vida, vivia com menos, e isso me possibilitou juntar e investir cifras que, a partir daquele momento, me permitiriam viver tranquilamente por anos, mesmo que adversidades não programadas aparecessem pelo caminho.

É fato que às vezes é preciso ter o que chamo de medo positivo. Claro que sou e recomendo que você seja uma pessoa positiva, mas é fundamental que você tenha o medo positivo. E se o governo mudar? E se a empresa tiver problemas? E se meu carro quebrar? E se eu tiver uma emergência médica?

Esteja preparado.

A maioria das pessoas "deixa a vida levar". Não faça parte desse time. Faça o que está sob seu controle. Domine outras formas de ganhar dinheiro, estude o mercado financeiro, tenha sempre no mínimo cinco fontes de renda. Entenda que você estará sempre sob risco. Sua meta é diminuir esse risco ao mínimo possível. Pense sempre: "E se eu fizer tudo para dar certo, porém, fatores fora do meu controle fizerem dar errado, estarei preparado(a)?". Se a resposta for negativa, repense os seus atos e comece a se preparar.

Entenda que seu maior gerador de renda é sua configuração mental. Perceba que tive uma adversidade fora do controle; no entanto, como a minha mente já estava educada, o choque fez com que eu me adaptasse e corrigisse a rota mais rapidamente. Imagine o que você pode fazer ou ter se já estiver na rota certa desde o início? Arrisco dizer que eu poderia ter o dobro do patrimônio que tenho hoje (no mínimo) se não tivesse cometido esse erro. Não cometa o mesmo erro que cometi. Esteja pronto para tudo.

Se você fizer o que precisa ser feito, pelo tempo necessário que precisa ser feito, e se preparar para o sucesso, acredito que poderá ser extremamente bem-sucedido pessoalmente e financeiramente.

O QUE GERA A SUA RENDA DE VERDADE EM VENDAS DIRETAS?

Agora vamos falar um pouco sobre as atividades geradoras de renda, aquelas atividades que vão colocar o dinheiro no seu bolso. E a primeira atividade geradora de renda é encontrar prospectos, fazer uma lista. E tem uma frase muito famosa que diz: "Fazer uma lista é uma atividade, manter essa lista viva é uma habilidade". O que quer dizer essa frase?

Você deve fazer uma lista, e nela você irá colocar aqueles nomes de pessoas que você já conhece, para quem você vai,

Capítulo 7: Assuma o controle financeiro da sua vida

eventualmente, vender um produto, quem você irá convidar para fazer negócios, pessoas que você já conhece. Você tem a sua família, os amigos, os colegas do trabalho, da faculdade, o seu grupo de convívio também deverão estar na sua lista de contatos.

Essa é a atividade, criar a lista. E então, o que é manter a lista viva? E por que isso é uma habilidade?

Manter a lista é fazer com que ela se renove a cada dia, que ela cresça, aumente de tamanho diariamente. E dedicar-se a conseguir cumprir essa função, torná-la viva. E isso, meu amigo, é habilidade.

E é nesse momento que as pessoas passam a se diferenciar entre amadoras e profissionais. O amador é aquele que tem uma lista pequena no início e a mantém pequena ao longo do tempo. É aquele que não organiza os contatos e que não se importa se o negócio ainda não está trazendo lucro, pois acredita que as coisas são devagar mesmo e que ele precisa ter calma e saber esperar. Já o profissional não aceita ter uma lista pequena e, desde o primeiro dia, enche o espaço que reservou para escrever os nomes que vêm à sua mente; o profissional não sossega enquanto não vê sua lista crescer e crescer. E, por esse motivo, começa a ver resultado rápido e, mais do que isso, deseja conquistar rápido tudo o que investiu no negócio, tanto o dinheiro quanto o seu tempo.

O que você deseja ser: amador ou profissional? Se você for um profissional de vendas, de *marketing* de relacionamento, de qualquer negócio, você terá que colocar novos nomes na lista, você deverá ter novas pessoas ingressando nessa lista constantemente.

Viva uma vida de forma que a lista esteja crescendo naturalmente. Então esteja fazendo cursos novos constantemente, esteja sempre na academia, frequentando outro grupo de relacionamentos, um grupo de estudos, redes sociais, e esteja sempre mudando para poder conhecer pessoas novas. Assim, isso é fundamental para que você viva de uma forma saudável, para que você não fique se apegando muito a uns poucos contatos e cometa um dos principais erros que eu considero: entrar nesse negócio e indicar dois nomes e pronto, achar que, com esses dois nomes, você irá crescer, virará classe diamante ou seja lá qual objetivo você quer atingir.

A verdade é que você precisará de números, a lei dos números, e para isso você terá que ter muitos nomes na lista. É até uma questão psicológica; se você tiver poucos nomes na lista, apresentará o seu projeto, tentará vendê-lo para alguns, eles acabarão não ingressando, o que é normal, e você se desesperará, porque terá poucos nomes na lista. Ao contrário, se você tiver muitos nomes na lista, apresentará para alguns, eles não se interessarão, o que é normal, ou se interessarão, mas não entrarão, o que também é bem normal, só que você estará tranquilo, porque terá muitos outros nomes na lista com os quais irá fazendo e ampliando o seu trabalho.

Para driblar isso, há uma dica: "faça a lista" e, em seguida, faça com que essa lista se torne a maior de todas, para você ter opções e não se apegar a uma ou outra pessoa específica que irá se interessar e entrará no negócio. Lembra que o segredo é ter opções? Você deve ter a maior lista possível, e renovar essa lista diariamente, colocando novos nomes nela.

O CONVITE

Após ter a lista de prospectos, você vai precisar expor esses prospectos ao negócio ou expor o negócio aos prospectos, ou seja, você precisa convidar. O ato do convite é simplesmente fazer a conexão entre a pessoa, o seu *lead*, o seu contato, o seu prospecto e o negócio. Enfim, fazer a venda. Você precisa conectar esses dois elos para que o negócio aconteça.

O maior problema é que as pessoas têm medo de convidar. Às vezes pré-julgam seus prospectos, achando que a pessoa a ser convidada não vai querer, ou vai querer, vai ter dinheiro, não vai ter dinheiro, está a fim ou não está a fim, tem perfil ou não tem perfil. Você não pode ter medo de convidar. O pior que pode acontecer é você tomar um simples "não". A pessoa poderá falar "não, eu não quero entrar nesse negócio", "não, eu não quero conhecer", "não, isso não é pra mim", "não, não tô a fim agora", entende? Você deve se desapegar da possibilidade do resultado negativo para o seu convite.

Você precisa simplesmente convidar. Lembre-se de que há uma atitude correta, que você não pode ser um caçador, aquela pessoa que sai desesperada querendo caçar prospectos, querendo caçar pessoas para o seu negócio, para a sua equipe. Lembra-se disso? É fundamental você cultivar o relacionamento.

É importante que você siga seus princípios e não se desespere. Por exemplo, eu só falo com quem quer falar comigo. Simples assim. Mas, para isso, preciso saber um pouco sobre a pessoa, preciso saber do momento que ela está vivendo, saber quais preconceitos habitam a mente dela, entender como ela vive e o que ela pensa minimamente sobre o mundo das vendas diretas. E o meu principal objetivo é educar esse prospecto, fazer com que ele entenda o que eu tenho para oferecer, e se ele quiser, se ele se interessar, ele também irá fazer parte disso.

E sei que haverá pessoas com as quais farei todo o processo e elas não irão se interessar, e não vejo problema nenhum nisso, pois é normal que aconteça. Também é preciso entender que cada pessoa tem o seu tempo. Muitas pessoas, por exemplo, podem se interessar pelo negócio depois de muito tempo de realizado o convite. Esperar e manter o relacionamento de amizade é a melhor saída nesse caso – e, mais do que isso, saber respeitar o momento da pessoa.

Use de forma coerente as suas ferramentas. Você tem ferramentas para algo específico. Use as ferramentas que você tem. Quais são as regras básicas para um bom convite? Primeiro, como eu já disse, a primeira de todas as regras é não se apegar ao resultado. Segundo, seja você mesmo. Existem *scripts* de convite, existem formas de se convidar, mas muitas vezes você se apegará a determinado *script* e perderá a autenticidade, perderá a sua pessoalidade e começará a falar com palavras que você não usa normalmente. Se se apegar a determinado *script*, você tentará ser quem você não é. Assim, tenha cuidado com o seu vizinho, convidando-o de uma forma muito pomposa. Ele sabe quem você é, então, aja naturalmente, seja autêntico.

Você falará "Meu, você tá em casa? Tô indo aí tomar um café". Ou "Tem como você dar um pulinho aqui, vamos jantar hoje pra eu apresentar pra você um negócio e tal?". Então, seja você mesmo. Lembre-se de que você precisa ter entusiasmo. Não adianta você convidar uma pessoa para um negócio muito legal se você estiver quase morrendo ao falar pelo telefone. Você deverá falar de uma maneira que pareça ser você ali, mas, se falar sem energia, a pessoa não terá vontade de falar com você.

Lembre-se sempre de ser você mesmo e não tentar mostrar uma imagem que você não tem. Respeite a sua individualidade. E talvez, o principal ponto para mim, no meu caso, é a postura, lembrar que temos um negócio para oferecer, que temos uma oportunidade para oferecer. Não se torne uma pessoa desesperada: "Por favor tome um café comigo pra eu te cadastrar em um negócio". Isso não funciona. "Você tem a oportunidade nas suas mãos para transformar a vida de outras pessoas, valorize seu negócio".

Tome cuidado com a linha entre a arrogância e a postura, pois ela é muito tênue, de modo que é preciso ter cuidado para você não assumir uma postura além da conta e passar um ar muito

ACREDITE NO SEU POTENCIAL E NUNCA PERCA DE VISTA O LUGAR DE ONDE VOCÊ VEIO E O LUGAR AONDE VOCÊ QUER CHEGAR; AMBOS SÃO FUNDAMENTAIS PARA A MANUTENÇÃO DO SEU SUCESSO.

arrogante de si mesmo. Só que você deve ter postura. O que é a postura? É você entender que as pessoas precisam de você, e não é você que precisa delas. Quando você entende isso, muda tudo, muda tudo mesmo. Quando você compreende isso e transmite essa convicção no seu olhar, por meio da sua linguagem corporal, no seu tom de voz, as pessoas sentem e pensam "Poxa, ele não precisa de mim", e quando a pessoa sente que você não precisa dela, é nesse ponto que ela irá querer, porque há muitas situações em que o ser humano faz as coisas mais para não perder do que para ganhar, e isso passa pela postura de quem oferece o negócio.

Hoje em dia está cheio de "profissionais" querendo vender facilidades, querendo vender milhões de novas oportunidades, e quando a pessoa não quer vender e demonstra que está usufruindo de uma oportunidade, e se a pessoa quiser também poderá usufruir os mesmos benefícios, então estará dando uma oportunidade para ela também. A pessoa do outro lado se sentirá acolhida, sentirá que irá crescer independentemente de ingressar ou não no negócio, e aí ela poderá concluir que você vai crescer, e ela não.

E quando ela compreende que você não precisa dela para crescer, aí o jogo muda, porque ela irá querer fazer parte. Lembra? O ser humano faz muito mais as coisas para não perder do que para ganhar.

CAPÍTULO 8

O QUE SIGNIFICA SUCESSO?

Na indústria de vendas diretas, fala-se muito de dinheiro e viagens como símbolos de sucesso. Mostram-se carros, casas, realizações materiais. Eu mesmo mostro muitas das coisas que já pude comprar graças a esse negócio em minhas apresentações. Entenda que o dinheiro é uma bênção quando bem utilizado e quando é ganho de maneira honesta. Há pessoas que acham errado e feio ganhar dinheiro. Isso não é verdade, o dinheiro é excelente. Quanto mais sucesso tiver, mais pessoas poderá ajudar. Quantas vezes você pensou em ajudar alguém e não pode fazer por falta de recursos financeiros? E se dinheiro não fosse um problema, o que você gostaria de fazer ou ter? Como diria Zig Ziglar, "O dinheiro é como oxigênio, sem ele não há muito o que você possa fazer".

Porém, o que quero abordar neste capítulo vai além das realizações materiais que o dinheiro pode comprar. Na minha opinião, o dinheiro pode comprar algo muito mais valioso: o tempo.

No momento em que escrevo este livro, tenho dois filhos, o Miguel e Isadora. Sem dúvida alguma, o mais valioso bem que esse modelo de negócio pode proporcionar a mim e a minha esposa foi a liberdade de tempo para poder acompanhar o crescimento dos nossos dois filhos. A liberdade de poder escolher passar quanto tempo quisermos com eles é impagável, e o dinheiro pode comprar isso. É claro que ainda viajo a trabalho e inevitavelmente, por vezes, preciso passar uns dias afastado deles. Mas a simples liberdade de poder optar por não fazer nada durante uma semana e viajar, ou então por tirar uma terça-feira à tarde, enquanto a maioria dos pais está em um escritório ou fábrica e precisa ficar afastado de seus filhos, enquanto posso ficar em um parque brincando com eles, sinceramente, não tem preço. Aliás, o preço que se paga é trabalhar fazendo o que precisa ser feito por tempo suficiente. Aceitando pagar o preço do sacrifício para viver a glória.

Quero dizer que a grande magia da indústria de vendas diretas é a liberdade de tempo. Poder trabalhar a partir de casa, se quiser, poder viajar trabalhando, estar com seus filhos em um parque e trabalhando. Graças à tecnologia, podemos fazer videoconferências ou ligações de qualquer local. Isso possibilita gerar renda 24 horas por dia, sem necessariamente precisar estar em um escritório fechado para esse fim.

Eu me lembro de quando trabalhava na empresa de equipamentos hospitalares; muitas vezes chegava duas horas atrasado no meu horário e era zombado por todos os meus colegas. "Mais um dia atrasado", é o que diziam. O meu chefe olhava torto e falava "De novo, Francisco?". Você deve se perguntar por que ele não me demitia. Muito simples: após eu chegar (duas horas atrasado), nas próximas três horas eu fazia todo o trabalho do dia. A partir daquele momento, eu procurava o meu chefe e pedia por mais trabalho, e dizia que, se não desse, eu iria embora para a minha casa. Eu odiava ficar na empresa "fazendo hora" até chegar o fim do expediente. Mesmo quando era empregado, eu já trabalhava por produtividade, e meu chefe adorava isso. Ele odiava o fato de eu não cumprir horários, porém, adorava o fato de eu produzir em três horas o que outros levariam três dias.

Perceba que não estou afirmando que você deve começar a fazer o mesmo que eu fiz, mas devo dizer que, se você é uma pessoa que gosta de trabalhar por produtividade e ser muito bem recompensado por seu trabalho, encontrou na indústria de vendas diretas o trabalho ideal. Nessa indústria, uma hora bem trabalhada por dia pode render mais do que as oito ou dez horas do empregado tradicional.

É óbvio que, se você trabalhar oito horas por dia, com eficiência, na indústria de vendas diretas, irá ganhar mais do que alguém que trabalha uma hora. Porém, perceba que citei a palavra "eficiência". É necessário ser produtivo. Por isso, gosto do exemplo de trabalhar algumas horas por dia para ter uma excelente renda e poder passar um tempo de qualidade com as pessoas que eu amo. Na minha opinião, ter dinheiro sem tempo não vale nada.

INVISTA SEU TEMPO NO QUE IMPORTA E TERÁ ASSIM O VERDADEIRO SUCESSO, AQUELE QUE VAI ALÉM DAS REALIZAÇÕES MATERIAIS.

Mahatma Ghandi dizia que "os homens gastam todo o seu tempo para ganhar dinheiro e no fim da vida gastam todo o seu dinheiro tentando obter mais tempo". Perceba que o dinheiro a gente ganha, perde e recupera. O tempo, não.

Entenda que você deverá aprender a montar o seu planejamento, a entender a sua agenda e as suas necessidades. Trabalhar será preciso, mas, com a indústria de vendas diretas, quem organiza tempo é você, e isso é maravilhoso e libertador.

Liberte-se da comparação com o outro e crie a sua rotina: se você, por exemplo, é uma pessoa que trabalha muito melhor à noite, aproveite essa habilidade e descanse durante o dia. A agenda é sua, o horário é seu.

CAPÍTULO 9

VIAJAR O MUNDO

Sem dúvida, uma das melhores coisas que a indústria de vendas diretas pode proporcionar é um estilo de vida incrível. Essa indústria caracteriza-se pela extrema valorização das pessoas que fazem o que precisa ser feito, e essa valorização não pode ser somente financeira, visto que ninguém terá acesso a sua conta bancária. Ninguém vê quanto você ganha, e quando veem, muitos simplesmente não acreditam.

De forma muito inteligente, a indústria de vendas diretas investe em viagens de incentivos para seus distribuidores. Afinal de contas, quando você viajar, irá fazer muitas fotos e vídeos, e, com o impulso das redes sociais, todos os seus amigos irão ver que o negócio funciona. Sendo assim, aumentará o interesse pelo negócio devido à prova social demonstrada.

Confesso que, ao iniciar nesse modelo de negócios, as viagens não me chamavam a atenção. Talvez devido ao fato de, em meu trabalho anterior, ter viajado pelo Brasil, imaginei que já conhecia o suficiente. Eu estava errado.

Ganhei a minha primeira viagem com menos de um ano trabalhando na indústria de vendas diretas, fruto de um trabalho intenso e de muitos sacrifícios. Ao chegar ao *resort* na Bahia e começar a postar fotos em redes sociais, comecei a perceber o poder das viagens dentro desse modelo de negócios. Muitas pessoas que não queriam nem ouvir falar do negócio passaram a me chamar em mensagens privadas, querendo marcar uma reunião. Foi nesse momento que entendi a magia das viagens.

Durante esses anos desenvolvendo negócios, tive a oportunidade de conhecer boa parte do mundo: Havaí, Las Vegas, Los Angeles, Miami, Nova York, Paris, Mumbai, Nova Delhi, Cingapura, Cairo, Dubai, entre outros. Lugares que nem em meus sonhos mais insanos poderia imaginar conhecer, e ainda mais gratuitamente! Tudo foi fruto de um trabalho bem feito. Chega a ser difícil de acreditar, para quem não tem contato com essa indústria, que seja possível viajar o mundo e conhecer tantos lugares assim em um curto espaço de tempo.

Quando você começar a desfrutar do estilo de vida possível dentro dessa indústria, irá se deparar com centenas de pessoas querendo que você simplesmente mostre para elas o caminho. A maioria dessas pessoas irá em busca de resultados rápidos, sem trabalho. Eles não entenderão tudo o que você passou até chegar ao resultado. Querem colher sem plantar. Faça a sua parte ao mostrar o caminho, mas não perca o seu foco com quem quer dinheiro rápido e fácil. Uma das coisas mais difíceis de se manter é o nosso foco, portanto, não perca o seu foco com quem não merece o seu tempo.

Entenda que *viajar o mundo* no nosso negócio é uma recompensa para aqueles que atingem um reconhecimento acima do esperado, mas isso nunca pode ser o objetivo principal de quem entra de verdade para esse mercado. O objetivo deve ser a aquisição da liberdade para fazer o que se tem vontade, ter tempo livre para desfrutar de mais tempo com a família, ter mais condições financeiras para realizar sonhos, mas nunca o objetivo final pode ser apenas a viagem, pois quem tem um bom emprego, ocupa um cargo alto numa empresa, pode ou empreende em outras áreas, também consegue viajar o mundo.

No nosso caso, a vantagem é que as viagens são gratuitas, devido a um trabalho feito, ou seja, tudo é CONQUISTADO. Enxergar as viagens como um fim não lhe trará sucesso, pelo contrário, você terá apenas uma coleção de carimbos no passaporte – o que é ótimo e recompensador –, mas não garante que você se mantenha em constante crescimento na nossa linha de negócios.

Vislumbre a viagem, pois ela é o seu prêmio, mas trabalhe como se ela não existisse, pois isso, sim, fará com que você alcance patamares elevados nos negócios e ganhe o mundo por conta dos negócios e, consequentemente, por meio das viagens.

CAPÍTULO 10

O PODER DO *NETWORKING*

Você, certamente, uma vez na vida, já ouviu falar do poder do *networking*, não é mesmo? Pois bem, estabelecer conexões, criar vínculos e ter bons relacionamentos é essencial no *marketing* de rede. E isso não quer dizer que, para entrar no negócio, você já tem que conhecer alguém, ser próximo e conseguir indicações. Não. Muito pelo contrário. Nesse sentido, a indústria das vendas diretas é bastante democrática e libertadora, pois nos permite dar o primeiro passo sem nem sequer ser do mesmo lugar que a pessoa que nos fez o convite.

O *networking* é importante no *marketing* de relacionamentos justamente porque nos mantém em ascensão, nos eleva a outros patamares. E para isso, você precisará seguir alguns passos, adotar algumas posturas:

FOCO

Pequenas distrações lhe roubarão grandes oportunidades. Quando estiver trabalhando, trabalhe. Dedique-se a ser a sua melhor versão e só pare quando conseguir alcançar os seus objetivos. No início, como já disse neste livro mais de uma vez, você terá de abrir mão de certas coisas, de esquecer um pouco o tempo livre e dedicar-se a conquistar o que você deseja. Vale a pena, eu garanto.

Foque, apenas foque em você e nos seus sonhos.

DO TRABALHO EM CASAL

Certa vez ouvi um grande mentor afirmar que trabalhar em casal é desafiador, porém, quando acontece, é mágico. Essa é uma grande verdade.

O fato é que trabalhar em casal inclui misturar campos que muitas vezes não estão acostumados a se cruzar. Diferenças de opiniões, estratégias etc. Tudo isso é normal com colegas de trabalho, mas quando, após um dia de trabalho, é necessário retornar ao ciclo íntimo do casal, isso pode se transformar em um grande problema.

Entenda que o seu parceiro ou parceira de negócios não precisa, necessariamente, fazer o negócio, mas respeito é fundamental. Respeito por quem quer fazer o negócio.

AMA OS OUTROS COMO AMA A TI MESMO

Na primeira vez que voei em um avião, fiquei em choque ao ouvir o aviso dos comissários de bordo: "Em caso de emergência, máscaras de oxigênio cairão sobre suas cabeças. Se houver uma criança ao seu lado, coloque a máscara primeiro em você e depois na criança". Não entendi como alguém em sã consciência poderia se colocar à frente de ajudar uma criança indefesa. Após alguns dias refletindo sobre isso, resolvi pesquisar para descobrir as razões técnicas por trás daquela orientação. Descobri que, se você ajudar primeiro uma criança, provavelmente não terá tempo de colocar a máscara em você. Isso causará sua perda de consciência e naturalmente a criança ficará sem saber o que fazer e também perderá a consciência. Caso coloque a máscara primeiro em você, ainda terá tempo e discernimento para ajudar a criança depois. Percebi que, se você quer ajudar os outros, primeiro precisa ajudar a si mesmo.

Então, se você quer crescer no negócio para ajudar as pessoas que estão com você no negócio e também sonha em ajudar a sua família a prosperar, o primeiro passo a ser dado é investir em você, fazer com que tudo o que você planejou para você mesmo dê certo e, só depois disso, começar a ajudar as outras pessoas. Uma coisa de cada vez.

CONSTRUINDO CONEXÕES

Se você vier a construir uma organização na indústria de vendas diretas, recomendo fortemente que se conecte com as pessoas da sua equipe por razões extras ao negócio. Construa amizades, conheça a família deles, vá à casa deles e permita que eles conheçam a sua casa, a sua família. Conheça as principais peculiaridades de cada pessoa e se conecte emocionalmente. Quanto mais vínculos você desenvolver, mais forte será a conexão dessa pessoa, não somente com o negócio, mas com você também.

AUMENTANDO A BARREIRA DA DESISTÊNCIA

Um dos pontos mais positivos da indústria de vendas diretas é o baixo investimento para ingressar nesse mundo. Diferentemente do mercado tradicional, no qual seriam necessárias cifras astronômicas para justificar um faturamento interessante, aqui o investimento maior é em si mesmo. Nada de funcionários, estoque, aluguel, ações trabalhistas etc. Somente estar disposto a levar vários "não" até atingir o "sim". Nessa trajetória de desenvolvimento pessoal até começar a ter resultado, é necessário resistir às barreiras inerentes ao crescimento do negócio. Assim como um avião que, para decolar, precisa vencer a lei da gravidade que o puxa para baixo, alguém que deseja ter sucesso nesse tipo de negócio precisa vencer a negatividade e a mediocridade que o puxarão para o caminho que a maioria das pessoas tem trilhado. A verdade é que muitas pessoas, infelizmente, não atingem grandes coisas na vida, e a maioria delas simplesmente não realiza seus sonhos.

Da mesma forma que o baixo investimento financeiro para entrar nesse negócio é um ponto positivo, pode também ser negativo, visto que fica muito fácil desistir do empreendimento. Infelizmente, para a maioria das pessoas, quanto menor o investimento, menor o comprometimento. Existem algumas exceções, sim, porém, converse com os maiores líderes da sua empresa e pergunte como eles iniciaram os seus principais líderes. A maioria irá concordar que os maiores iniciaram com os maiores pacotes de produtos. Isso não acontece por acaso.

Lembro-me de que, quando iniciei no projeto, fiz um investimento considerável no que era, na época, o maior pacote disponível de produtos. Confiei cegamente em quem me apresentava a oportunidade. Não entendi muito bem as vantagens dentro do negócio, e simplesmente o fato de ter mais produtos, portanto, mais ferramentas de trabalho, parecia ser uma boa vantagem. De fato, a minha situação financeira era confortável, e, mesmo imaginando a situação impossível, que seria perder todo o investimento feito, isso não me tornaria mais pobre. Se eu perdesse aquele valor, não me faria falta, porém, mesmo assim, uma vez que investi, decidi trabalhar forte para ter o retorno do valor investido. O que quero dizer é que, generalizando, quanto maior o investimento, maior o comprometimento.

Inicialmente, o que você deve fazer para que o seu novo cadastrado tenha mais probabilidade de ter sucesso é indicar a ele o maior combo disponível em sua empresa. Quero repetir o que, na minha opinião, é uma das grandes verdades desse modelo de negócio, por mais polêmica que possa parecer: teoricamente, quanto maior o investimento, maior o comprometimento. A maioria das pessoas imagina que queremos cadastrar os novos distribuidores com combos maiores, pois isso geraria um maior bônus de cadastro, certo? Apesar de ser verdade, receber um bônus maior devido ao maior combo proveniente do cadastro (isso acontece na maioria das empresas de vendas diretas), esse é um bônus imediato e não residual, ou seja, você receberá somente uma vez por isso. A ideia desse modelo de negócio não é receber somente uma vez, e, sim, para sempre. Se o investimento do novo distribuidor for em um combo maior de produtos e isso ocasionar uma chance maior de sucesso dele no futuro, significa que você o estará ajudando a construir uma carreira de sucesso no negócio para sempre, e não somente temporariamente.

AJUDE QUEM CONFIOU EM VOCÊ

A indústria de vendas diretas também é chamada por outros nomes: *marketing* de rede, *marketing* mononível, multinível e, finalmente, a de que mais gosto: *marketing* de relacionamento. Tudo nesse negócio se refere a relacionamentos! Seja prospectar novas pessoas para o negócio, vender produtos, apresentar, fechar negócio, treinar etc. Tudo é relacionamento.

Acredito que o principal pilar de qualquer relacionamento, seja ele profissional ou não, é a confiança. Aqui não pode ser diferente. Quando você apresenta a oportunidade para alguém e diz que ele pode confiar em você para iniciar o projeto, pois você irá oferecer todo o suporte necessário, precisará honrar a sua palavra.

Qualquer um pode ter sucesso nesse modelo de negócio, independentemente da ajuda de quem for o seu patrocinador. Acredito que existe, de fato, a meritocracia, e que não será a falta de um patrocinador presente que determinará o seu fracasso. Porém, o papel de um patrocinador é estar sempre disponível para ajudar. Gosto da comparação do papel do patrocinador com o de um pai ou uma mãe. Não devemos carregar os nossos filhos para sempre no colo, pois eles devem aprender a caminhar sozinhos, porém, sempre devemos estar observando-os para, em caso de necessidade, estarmos por perto a fim de ajudá-los.

RESPEITE O TEMPO DE CADA UM

Quando iniciei a minha carreira na indústria de vendas diretas, cometi o erro mais comum: queimar contatos. Na noite em que me cadastrei, liguei e enviei mensagens para uns cinquenta amigos, querendo cadastrá-los em um "supernegócio que iria nos deixar ricos". Obviamente nenhum deles topou, e alguns até mesmo riram de mim, imaginando que eu tinha caído em um golpe. A verdade é que essa nem de longe foi uma forma profissional de abordá-los, e o resultado não poderia ter sido outro.

Após passar por essa barreira das objeções iniciais, pude construir um negócio sólido que me permitiu ter realizações financeiras e principalmente de estilo de vida, como as viagens das quais falei há pouco. Foi ao começar a mostrar os meus resultados que muitos dos que haviam me dito "não" (e até mesmo um que riu de mim) quiseram saber mais e até mesmo se cadastraram no negócio.

Entenda que, quando alguém diz "não" para o negócio, essa pessoa está dizendo "não" para si mesma. Ela está dizendo "Não, eu não quero ter uma renda extra, eu não quero viajar o mundo, eu não quero oferecer mais conforto para a minha família". Ou pelo menos "ainda não". Por isso, considere todo "não" recebido com um "não" temporário e tenha o cuidado de não tornar esses nãos em algo definitivo.

DEFINA O SEU PORQUÊ

Você já parou para pensar no que o motiva a seguir em frente?

É esse exercício que nos leva a descobrir o nosso porquê, ou seja, aquilo que fazemos com propósito, sabendo que há algo muito maior envolvido no processo. Resumindo, é o que nos faz acordar todos os dias pela manhã e continuar acreditando que a vida vale a pena. E poderia desdobrar essa mesma pergunta assim: por que você faz o que faz? Por quem você faz o que faz? Muitas vezes, a sua motivação não está relacionada somente a você, mas a muitas pessoas, a família, amigos, a uma empresa. Ter um porquê nos faz agir de modo que as coisas deem certo, sejam resolvidas e transformadas.

É que você faz mesmo se não ganhar dinheiro, faz porque há algo maior por trás. Pense, por exemplo, nas pessoas que você mais ama e em como elas trazem felicidade à sua vida. Posso colocar minha mão no fogo por qualquer pessoa – mesmo sem conhecer quem está do outro lado do livro – que esteja lendo eesta história de que, ao ver as pessoas que ama em perigo, correria o risco que fosse para não deixar que nada de mal lhes acontecesse. Isso é motivação, isso é amor, isso é ser movido a algo maior, a algo que faça sentido.

Ao entrar no *marketing* de rede, você precisará descobrir um porquê logo cedo. Digo isso porque os desafios e exigências serão muitos, sobretudo no começo. Você terá de acreditar na sua escolha e ter muito bem definido em sua mente que todo o sacrifício e tempo livre depositado em estudo e treinamento valerão a pena. Nesse caso, não é só o dinheiro que conta, não são somente os bens materiais que contam. Tudo isso, eu garanto, se você se dedicar e trabalhar duro, aparecerá, mas, se não tiver um propósito, poderá perder foco no primeiro desafio que aparecer.

Conquistar as coisas, todos nós sabemos, de um jeito ou de outro, com o trabalho e as metas traçadas no quadro de sonhos – ou seja lá onde for –, nós conseguimos realizar. Sou um exemplo

SE VOCÊ NÃO TEM UM PROPÓSITO, O QUE VIER É LUCRO.

disso, de quem riu do poder da lei da atração, e depois me vi realizando tudo o que tracei no quadro de sonhos. De viagens ao Egito, Dubai, à compra de carros. Tudo.

Mas o que fica?

A mensagem que você passa para o Universo.

Então, é por esses motivos que recomendo a você que defina o seu "porquê". Pense no tipo de mensagem que você está mandando para o Universo. "Eu quero sucesso." Mas o que é o sucesso para você? Você deve defini-lo, não dizer de qualquer jeito, porque quem define o seu "porquê" orienta as mensagens que serão emitidas. Por isso é preciso definir, escrever, colocar num papel, dizer "eu quero isso, isso e isso". "Eu quero esse carro, eu quero essa casa." "Eu quero viajar para esse lugar", "eu quero uma família assim."

Pegue fotos, representações visuais, porque o ser humano, especialmente o brasileiro, é muito visual, e coloque em um lugar que você veja todos os dias, e isso funcionará, mandando uma mensagem para o seu cérebro. Qual é a mensagem que você envia para o seu cérebro? Trabalhe, vá, conquiste. Porque durante o dia virão distrações, então, o seu quadro dos sonhos funcionará muito para evitar perder tempo com as distrações.

Agora, será a partir da definição que você conseguirá buscar alguma coisa; mas, se você não definir nada, ficará vagando por aí, e qualquer resultado que vier será bem-vindo.

CAPÍTULO 11

ORGANIZE-SE, ESTABELEÇA AS SUAS METAS

DA IMPORTÂNCIA DE TER METAS

Certa vez ouvi, em um treinamento, que pessoas que têm metas e as escrevem em um papel ganhavam dez vezes mais do que as pessoas que não faziam assim. Então, resolvi experimentar isso, e, alguns anos depois, realmente o meu patrimônio havia aumentado em mais de dez vezes.

No entanto, nem todo mundo faz esse exercício. Independentemente disso, se você faz ou não o exercício de escrever as suas metas, minha grande dúvida é tentar entender por que motivo algumas pessoas conseguem realizar sonhos e outras não. Isso realmente me intriga, e imagino que você já tenha parado para pensar nisso.

Depois de algum tempo de experiência no ramo de vendas diretas e *marketing* de relacionamentos, cheguei a uma conclusão: a imensa maioria das pessoas não atinge grandes feitos na vida simplesmente porque não sabem o que querem. Faça o teste, converse com dez pessoas perguntando quais os planos delas para amanhã, para a semana que vem, para o mês que vem, o ano que vem. Arrisco dizer que ao menos oito delas não saberão responder qual é o plano que têm. É claro que as pessoas querem ter um carro dos sonhos ou uma bonita casa, querem viajar e muito mais. O que a maioria das pessoas não percebe é que sonho é diferente de meta. Um sonho sem prazo e planejamento muito provavelmente não irá se concretizar.

Você reconhece essa diferença?

Um sonho é algo, na minha opinião, que faz parte da vida do ser humano. Para mim, sonhar funciona como uma válvula de escape, pois muitas vezes a vida real, a que levamos no dia a dia, é dura demais, e sonhar nos permite acreditar que há um mundo melhor, um mundo diferente. Isso é sonho e faz parte da vida de todos nós, independentemente de qual sonho cada um tenha.

Já as metas são as ações que traçamos para realizar os sonhos. O fato que quero levantar é que não é porque a minha vida é dura e cruel e eu sonho ter um futuro diferente que as coisas vão mudar só porque eu sonho. Não. Se eu não fizer nada e continuar sonhando, apenas sigo sonhando e sonhando com um futuro melhor, mas jamais consigo atingi-lo, e, consequentemente, o meu presente permanece o mesmo, duro e cruel, não importa o quanto o tempo passe.

A verdade, apesar de cruel, é que as pessoas têm medo de realizar seus sonhos, de mudar de vida e construir um futuro diferente do presente em que vivem, mesmo não sendo felizes do modo como vivem. E, por esse motivo, nunca traçam metas para alcançar o que tanto desejam: mudar de vida. Certa vez ouvi: "mire na lua e atire. Se errar o alvo, no mínimo acertará uma estrela". O que entendo com essa frase é: ouse, trace metas ousadas, não pense pequeno. Se não conseguir atingir 100% do objetivo, ao menos não ficará no mesmo lugar. Algo será modificado e alcançado e, por menor que seja se comparado com o objetivo final, já será o bastante para lhe fazer muito melhor se comparar ao ponto de partida.

Por que é importante definir metas?

Para responder a essa pergunta, volto a usar como exemplo o livro *Alice no país das Maravilhas*. Em certo momento, Alice perguntou para o gato qual era caminho que deveria seguir. O gato então lhe pergunta para onde ela quer ir. A ouvir que a menina não sabia, o gato responde que qualquer caminho serve. Gosto de retomar esse exemplo porque, para mim, fica claro quanto isso vale para a nossa vida, isto é, quando não sabemos o que queremos ou para onde estamos indo, qualquer coisa – qualquer coisa mesmo – serve.

UM SONHO
SEM PRAZO
E PLANEJAMENTO
MUITO
PROVAVELMENTE NÃO
IRÁ SE CONCRETIZAR.

E se na vida qualquer caminho é válido para quem não tem metas, na indústria de vendas diretas, o financeiro e alcance do seu sucesso é que ficam comprometidos, já que você nunca sabe qual próximo passo deve ser dado para alcançar o que deseja.

Deixo aqui uma pergunta: se você não tem metas, você sabe o que quer?

Eu quero mesmo é provocá-lo, pois a minha intenção é que, ao finalizar este livro, você ao menos tenha uma meta traçada. Por isso, pense bem: onde você quer chegar?

Permita-se realizar um exercício com os seus sonhos. Não espere mais um início de ano para desejar uma mudança mirabolante na sua vida. Se você deseja mudar, comece agora. E, por isso, aprenda:

1. Para conseguir realizar os seus sonhos, você precisará transformá-los em objetivos. Por exemplo, o seu sonho é ser milionário. Ok, mas o que você deve fazer para ser milionário? Ganhar um milhão, certo? Então, ganhar um milhão será o seu objetivo. Isso é materializar seu sonho.

2. Ao materializar o seu sonho, você deve colocá-lo no papel. Isto é, criar um planejamento. Retomando o exemplo, se o seu objetivo é ganhar um milhão, você precisa montar um planejamento que o leve a isso. É nessa hora que as metas começam a ser traçadas. E já adianto, a menos que você tenha MUITA sorte e ganhe na loteria, você não

ganhará um milhão da noite pro dia. Por esse motivo, o seu planejamento deve ter metas alcançáveis, tempo para cumprir cada uma delas e, até mesmo, o tempo para alcançar o seu objetivo final.

3. Fazer o planejamento e não agir é o mesmo que não saber para onde está indo. Por isso, tire os planos do papel e comece a agir. Alimente as suas metas com ações, pois são elas que tornarão os seus sonhos realidade.

O mínimo para conseguir começar a realizar os seus sonhos é começar a traçar metas. E com esses três passos, você tem o básico, o início de tudo. Lembre-se, quanto mais metas você alcança, mais metas você traça e, assim, mais próximo do seu objetivo você chega.

Não tenha medo de traçar metas, fazer um planejamento e listar os seus sonhos, pois essa é única maneira de fazer com que as coisas mudem.

SOBRE A PROCRASTINAÇÃO

Preciso assumir que sou procrastinador. Eu sou o tipo de pessoa que deixa tudo para depois. Até a adolescência, isso sempre me prejudicou muito. Sempre fui o tipo de aluno que tirava notas ruins, pois simplesmente não estudava para as famigeradas provas, deixando sempre para estudar no último dia, e está comprovado que isso não funciona bem. Eu sou a prova viva de que realmente não funciona.

O fato de procrastinar sempre me prejudicou muito, até eu perceber como lidar melhor com isso. Passei a impor algumas atividades diárias a mim mesmo, em que o dia não poderia acabar antes de eu realizar as minhas "missões". Um excelente exemplo do que estou falando é o que está acontecendo enquanto escrevo este capítulo do livro. Nesse momento são 2h44 da madrugada e estou escrevendo agora, pois procrastinei durante o dia e não posso ir dormir enquanto não terminar essa tarefa. É claro que amanhã ficarei com sono a maior parte do dia, porém, estarei satisfeito, porque hoje não tive um dia improdutivo.

O maior problema da procrastinação é passar um tempo improdutivo. Não aceite passar nem um dia da sua vida sem produzir algo. Encontre técnicas para lidar com seu sentimento de procrastinação, seja o que utilizo (missões diárias), seja agendar compromissos com alertas no seu celular ou algo que funciona muito bem: recompensa por missão cumprida. Assim como um cachorro que adora receber um biscoito ao fazer algo que o seu treinador ensina, nós também adoramos recompensas. Eduque seu cérebro a focar na recompensa, e assim ele irá desenvolver o hábito de fazer o processo que gerará o resultado esperado.

CONSTRUA HÁBITOS

Sabemos que o ser humano é um ser de hábitos e que hábitos não são perdidos, eles se transformam. Se quiser perder peso mas não gosta de ir à academia, uma boa forma é comprar roupas de academia com as quais você se sinta com um visual bom, então você transforma algo que inicialmente era negativo em algo positivo. É possível manipular o nosso cérebro. Muitas pessoas que deixam de fumar acabam por ganhar peso, pois trocam o hábito de fumar pelo hábito de comer. O fato é que, para transformar os nossos hábitos, precisamos, antes de tudo, reconhecer os que já temos. Sugiro que você analise e anote tudo que faz durante um dia, ou peça para alguém que convive com você para fazer isso em seu lugar. Você irá se surpreender com os hábitos que tem e com as possibilidades de melhorias.

Algumas pessoas simplesmente não iniciam algo novo pois imaginam que poderá não ficar bem feito. A verdade é que o ótimo é inimigo do bom. Normalmente essa frase é utilizando para se dizer que "se você se contentar em ser bom, nunca será ótimo". Mas acredito em outro sentido para essa frase: "Se você quiser começar o ótimo, nunca começa, então é melhor começar o bom e depois ficar ótimo". Caso queira desenvolver hábitos vitoriosos, simplesmente comece.

CAPÍTULO 12

CONSTRUA UM LEGADO

Após escrever meu primeiro livro, *Do Zero a 1 Milhão*, certo dia eu estava com algumas cópias do livro em casa para autografá-las e enviá-las para os leitores. Meu filho pegou uma cópia e começou a folhear até chegar a uma página com a foto dele. Recordo-me, emocionado, de ouvir ele dizendo: "Olha, papai, sou eu!". Percebi naquele momento que estamos construindo um legado nessa indústria do *marketing* de relacionamento.

Muito mais importante do que os ganhos financeiros, as viagens e os eventos é a mensagem que estamos enviando para as nossas famílias. Estamos deixando um exemplo poderoso para as próximas gerações. Recordo-me de que nunca tive orgulho do meu pai, pois, como já disse anteriormente, ele nunca foi um bom exemplo para a minha família. Tenho muito orgulho de poder ser um bom exemplo para a família que formei. A indústria de vendas diretas proporcionou o terreno fértil para que eu e outros milhares de pessoas colocassem todo o seu potencial para trabalhar e, finalmente, pudessem colher os devidos frutos.

Acredito que ainda tenho muito a conquistar, porém, quando paro para analisar tudo o que já vi e vivi, sinto-me plenamente grato e satisfeito. Vejo muitas pessoas que, perto do seu leito de morte, pedem a Deus mais um dia de vida, uma semana para que possam fazer certas coisas que tiveram medo e deixaram para trás enquanto tinham vida e saúde. A verdade é que devemos aproveitar nossa estadia no planeta para viver, e não apenas para sobreviver. Devemos construir algo do qual nos orgulhemos. Infelizmente, muitas pessoas vivem blindadas, procurando uma oportunidade, porém, você e eu já encontramos essa oportunidade. Cabe a nós viver à altura dela.

Acredito que construí algo de que posso me orgulhar e fico extremamente feliz de que possa ter construído algo que impactou positivamente tantas pessoas e agora posso deixar um legado para a minha família. A pergunta que faço hoje é: por que não você? Por que não agora? Vamos mudar o mundo, uma pessoa por vez.

Liderança é o ato de influenciar pessoas, de fazer com elas o que você quer que elas façam sem mandá-las fazer. Por quê? Porque em nosso negócio não há uma hierarquia, então você não pode mandar ninguém fazer nada. Até mesmo em lugares e estruturas onde existe hierarquia, simplesmente mandar sem liderar, sem influenciar, não leva as pessoas a fazerem alguma coisa que não irão fazer quando naturalmente forem influenciadas a seguir você, e às vezes elas irão sair e não irão mais ser um funcionário em quem o chefe quer e pode mandar, pois todo chefe precisa liderar.

A liderança acontece pelo exemplo; dizem que não existe outra maneira de liderar se não for pelo exemplo. Dizem que a palavra convence, mas o exemplo arrasta. Então, como é a melhor maneira de você liderar a sua equipe? Pelo exemplo, simplesmente fazendo tudo o que está disponível, por exemplo, nos *podcasts* que publico, nos áudios, nos vídeos que você assiste pela internet. Talvez, se eu não fosse quem sou e não tivesse o resultado que já demonstrei, você não estaria nem lendo meus livros nem ouvindo meus *podcasts*. Eu poderia falar muitas outras coisas sobre liderança, mas aqui pude registrar aquelas que acredito serem fundamentais para bons líderes se desenvolverem, desenvolverem suas equipes e criarem bons negócios, para si, para suas famílias, para as pessoas ao seu redor, enfim, para o nosso país, para melhorarmos a nossa sociedade e escrevermos o nosso nome nessa maravilhosa história.

Quando o seu objetivo passa a ser melhorar a vida das pessoas e, consequentemente, transformar o mundo ao seu redor, você passa a agir em benefício de todas as pessoas que estão ao seu redor. Isso é construir um legado.

Muitas vezes não sabemos em que momentos precisamos agir como um líder que só cobra resultados, pressionando por isso - e sim, esse tipo de postura é importante para o negócio em vários momentos - e quando precisamos ser o líder que está junto, que trabalha do lado para construir uma coisa só. Entenda que você terá de ser esses dois líderes ao mesmo tempo e, muitas vezes, com as mesmas pessoas.

Como isso é possível?

Em primeiro lugar, você precisa começar a se perdoar. Sim. Parar de se culpar, assumir a responsabilidade pelos seus atos e pelas suas escolhas – como já comentei aqui no início deste livro – e compreender que o mundo caminha ao seu lado, mas você não pode dar conta de todos os problemas, muito menos é culpado por todos os problemas que acontecem ao seu redor. Isso tira um peso enorme das suas costas.

Livre da culpa pessoal, é necessário começar a perdoar os que estão ao nosso lado, as pessoas que de alguma forma nos fizeram mal e impactaram a nossa vida de maneira negativa. Por mais que rejeitemos a questão do perdão, é necessário restabelecer as pontes com o nosso passado, fazer as pazes, reencontrar as mágoas, para conseguir virar a página.

Eu sou um exemplo claro de que tudo muda quando o perdão começa a fazer parte da nossa vida. Me perdoei em primeiro lugar: o fato de nem sequer imaginar que eu poderia decepcionar a minha mãe, meus irmãos e a minha esposa e meus filhos caso o meu negócio não tivesse sucesso, me travava de tal maneira que eu não conseguia crescer, tinha medo de arriscar, de me colocar metas mais ousadas. No momento em que me libertei dessa culpa, dei um salto enorme, cresci e ousei evoluir.

Depois, o mais difícil para mim foi me restabelecer com o meu passado, rever a minha história e entender por que decidi vencer. Como já contei no início deste livro, muito de quem eu sou hoje se deve à minha história familiar, mas não porque tive um apoio financeiro e uma figura paterna para me espelhar. Não, ao contrário, o abandono do meu pai e as dificuldades que essa atitude causou na vida da minha mãe e na dos meus irmãos fizeram com que ser um vencedor se tornasse minha única opção.

No entanto, eu não me dava conta de que todos os meus atos eram movidos pela ausência do apoio do meu pai. Eu buscava ser melhor que ele porque o culpava por me obrigar a ter de vencer, a ser melhor do que eu mesmo imaginava ser possível. E só quando me dei conta disso, percebi que o culpava, que eu sentia raiva dele. E parei para pensar. Não faz sentido, estou preso a um passado que não me faz bem e me impede de crescer ainda mais única e exclusivamente por meio da minha capacidade, da minha história pessoal e da minha dedicação. Nesse dia, o perdoei.

Perdoar e me perdoar foi libertador e me elevou a um patamar de crescimento que eu nem sonhava atingir. Libertador.

Se você deseja ser maior do que você é hoje, faça as pazes com a sua história, com o seu passado e com você mesmo. As pessoas sem culpa não precisam se justificar para ninguém e, com isso, crescem e crescem e crescem. E vivem em paz.

Reconecte-se com você e com a sua espiritualidade, abrace a sua fé, independentemente de religião. Fé é pensar positivo e focar

SE VOCÊ VISSE
O TAMANHO DAS
BÊNCÃOS QUE ESTÃO
VINDO, ENTENDERIA
A MAGNITUDE DAS
BATALHAS QUE
ESTÁ LUTANDO.

em algo maior, acima da sua capacidade de racionalizar, e isso é manter-se espiritualmente saudável e alinhado aos seus objetivos.

A sorte anda ao seu lado, mas saber manipulá-la é o que o transformará em um vencedor.

Você quer vencer?

Para mais informações, acesse:

www.franciscososa.com.br

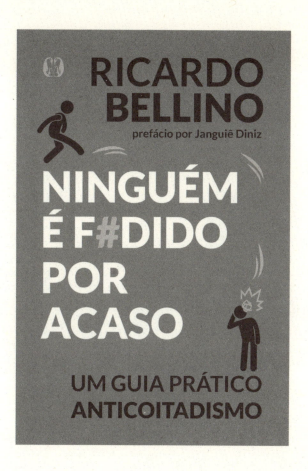

SER "FODIDO" OU NÃO SER "FUDIDO", EIS A QUESTÃO?!

Quem conhece o empresário carioca Ricardo Bellino certamente já o considerou louco. O que dizer de alguém que, aos 21 anos, pensou em trazer a mega agência de modelos americana Elite Models para o Brasil, sem falar inglês nem ter um tostão no bolso? É com esta irreverência que Bellino apresenta em sua nova obra um guia prático anticoitadismo. Nele você descobrirá o poder que uma simples letra por ter na vida das pessoas.

MAIS ESPERTO QUE O DIABO

Fascinante, provocativo e encorajador, Mais Esperto que o Diabo mostra como criar a sua própria senda para o sucesso, harmonia e realização em um momento de tantas incertezas e medos. Após ler este livro você saberá como se proteger das armadilhas do Diabo e será capaz de libertar sua mente de todas as alienações.

"Medo é a ferramenta de um diabo idealizado pelo homem."

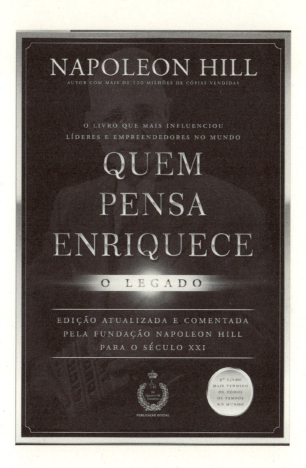

QUEM PENSA ENRIQUECE – O LEGADO

O clássico best-seller sobre o sucesso agora anotado e acrescido de exemplos modernos, comprovando que a filosofia da realização pessoal de Napoleon Hill permanece atual e ainda orienta aqueles que são bem-sucedidos.

Um livro que vai mudar não só o que você pensa, vai mudar o modo como você pensa.

Livros para mudar o mundo. O seu mundo.

Para conhecer os nossos próximos lançamentos
e títulos disponíveis, acesse:

🌐 www.**citadeleditora**.com.br

f /**citadeleditora**

📷 @**citadeleditora**

🐦 @**citadeleditora**

▶ Citadel - Grupo Editorial

Para mais informações ou dúvidas sobre a obra,
entre em contato conosco através do e-mail:

✉ contato@**citadeleditora**.com.br